Los sueños que sueña la tierra

—Álvaro Peralta Artigas—

CONVERSACIONES CON
RAÚL ZURITA

*los sueños
que sueña
la tierra*

RiL editores

CH861 Peralta Artigas, Álvaro
P   Conversaciones con Raúl Zurita. Los sue-
        ños que sueña la tierra / Álvaro Peralta Artigas–
        – Santiago : RIL editores, 2022

        110 p. ; 23 cm.
        ISBN: 978-84-18982-94-1

        1 ZURITA, RAÚL, 1950-ENTREVISTAS. 2 POETAS
        CHILENOS-ENTREVISTAS.

Conversaciones con Raúl Zurita
Los sueños que sueña la tierra
Primera edición: abril de 2022

© Álvaro Peralta Artigas, 2022
Registro de Propiedad Intelectual
N° 2022-A-1323

© RIL® editores, 2022

Sede Santiago:
Los Leones 2258
CP 7511055 Providencia
Santiago de Chile
☾ (56) 22 22 38 100
ril@rileditores.com • www.rileditores.com

Sede Valparaíso:
Cochrane 639, of. 92
CP 2361801 Valparaíso
☾ (56) 32 274 6203
valparaiso@rileditores.com

Sede España:
europa@rileditores.com • Barcelona

Composición, diseño de portada e impresión: RIL® editores
Fotografía de portada: Pepe Torres

Impreso en Chile • *Printed in Chile*

ISBN 978-84-18982-94-1

Índice

INTRODUCCIÓN

La obra literaria de Raúl Zurita no solo ha renovado y enriquecido la poesía chilena del último medio siglo sino también la continental y fuera de nuestras fronteras.

Para quienes amamos la literatura, y en especial la poesía, la lectura de la obra de Raúl Zurita, en libros como *Purgatorio, Anteparaíso* o *La Vida Nueva*, la asimilamos, reflexionamos y compartimos, con ese mismo tipo de revelación –cada una con sus propios cielos y atmósferas– que nos dejan lecturas como las de *El Quijote, Canto General* o *Crimen y Castigo,* en que la dimensión humana, en su imaginario de amor y dolor, de sueños y esperanzas, nos es relatada en toda su maravilla y en toda su crudeza, desplegándose y replegándose entre el dolor y el amor.

En el caso de nuestro poeta, su lenguaje tiene un sello único, que es el de la voz del ciclo de la muerte/vida ininterrumpida a través de la existencia. Es esa palabra que tiene un núcleo que hace palpitar su creación literaria, es ese núcleo que se llama amor, que se deja oír y escuchar a lo largo y ancho de sus poemas, una experiencia de vivir el lenguaje que no reconoce tumbas; al contrario, en el lenguaje de la muerte viven las voces que ahí quedaron, reviviendo, y con sus amores inconclusos significando en el tiempo y en el mundo, en los cielos, en las cordilleras y en los desiertos.

Este libro, por tratarse de una conversación, si bien en varias partes, trasluce el universo poético de nuestro autor, no tiene pretensión de crítica literaria ni de análisis semántico de su obra. Su pensamiento, que me atrevería a calificar de un humanismo desafiante, constructivo y solidario, un humanismo del «nosotros» como parte de un proyecto anclado en soñar un mundo más igualitario, con un compromiso radical con el ser humano planetario, con su libertad y derecho a la dignidad.

Los invito, en consecuencia, a encontrarse con uno de los grandes referentes de la cultura nacional, latinoamericana, iberoamericana y, por qué no decirlo, de esa cultura hija de la globalización, que nos comunica desde China a la India, desde los Estados Unidos a Alemania.

Los sueños, para nuestro poeta, no solo están vivos, sino que son esos sueños con que sueña la tierra: sueños de justicia y de amor.

Raúl Zurita, maestro en la poesía de esos significados, nos revela, a través de las páginas de este libro, su mirada del ser humano, con sus oscuridades y sus luces.

Álvaro Peralta Artigas

PRIMERA PARTE
LA INSONDABLE IDENTIDAD

Premio Iberoamericano
de Poesía Pablo Neruda 2016

Discurso de agradecimiento de Raúl Zurita

Chile, mucho antes de ser un país, fue un poema. Es el «Chile fértil provincia señalada/ en la región antártica famosa/ de remotas naciones respetada/ por fuerte, principal y poderosa» de *La Araucana* de Alonso de Ercilla, ese soldado español que participó en la conquista y, que después de declarar que no venía a cantarle al amor sino a la espada, vio en un territorio absolutamente desconocido, en el lugar más remoto del mundo, los bordes aún imaginarios de un país, uniendo para siempre nuestro destino con el destino de la poesía, de los grandes sueños y de sus encarnaciones concretas, pero también con las trazas de una violencia extrema anidada en el centro de nuestra historia. Soy un poeta chileno, soy un hijo de esa violencia y de esa delicadeza.

Señora presidenta de la República, Michelle Bachelet
Señor ministro de Cultura, Ernesto Ottone
Señor presidente de la Fundación Pablo Neruda
Autoridades, amigos queridos

Agradezco este premio que lleva el nombre del más grande poeta de la historia de la lengua castellana, Pablo Neruda. Frente a su obra la sensación a menudo no es distinta a la que podemos experimentar mirando las cumbres de los Andes o la inmensidad del mar. Poemas como *Galope muerto*, *Walking around* o *Alturas de Macchu Picchu* nos hacen pensar en esas dimensiones. En sus momentos más altos su poesía, más que la creación de un autor, se parece a un destino en cuya inexorabilidad están expresadas todas las muertes, esperanzas, tragedias, sueños y despertares, de millones y millones de hombres y mujeres que han requerido de los poemas para completar sus existencias.

Pablo Neruda al escribir su *Canto General* no sabía que ese libro iba a ser la prueba de que los pueblos, que a través de él lo escribieron y que allí se mencionan, debían atravesar todavía otra «muerte general» –las nuevas dictaduras y su interminable secuela de asesinados y desaparecidos–, dándoles a todas esas víctimas, a los oprimidos y marginados de nuestra historia, la sanción póstuma de encontrar en la poesía la vida nueva que debía esperarlos y que no los esperaba.

Recibo entonces esta distinción con un sentimiento de gratitud, pero también de dolor, de alegría y al mismo tiempo de tristeza, de orgullo y a la vez de vergüenza. La tarea no era escribir poemas ni pintar cuadros; la tarea era hacer de la vida una obra maestra y los restos triturados de esa tarea cubren la tierra como si fueran los escombros de una batalla atrozmente perdida. La poesía es la más alta creación humana, su fundamento es la celebración de la vida, pero ha tenido demasiadas veces que relatar la desgracia. Nada de lo que creí en mi juventud que sería el mundo ha sido el mundo, nada de lo que imaginé que sería Chile después del terrible paso de la Dictadura es lo que ha sido Chile. Lo único bueno que nos enseñaron esos años feroces: ese compañerismo, esa lealtad, que nos hizo a tantos atravesar la noche un poco más guarecidos, mostrándonos en las situaciones más difíciles que la solidaridad era posible, que el amor era posible, fue lo primero que se olvidó y vimos surgir así un país atomizado por el neoliberalismo, insolidario con los más débiles, en muchos aspectos déspota con los más desposeídos.

A la poesía le concierne íntimamente ese fracaso, el estado de una sociedad no puede medirse por lo bien que están los que están bien; «felices los felices», dice Borges en la sentencia final de «Fragmentos de un evangelio apócrifo», sino por lo mal que están los que están mal, y los que están mal están muy mal. La poesía debe bajar con ellos, debe descender junto a lo más dañado, a lo más tumefacto y herido para emprender desde allí, desde esas fosas de lo humano como quería el pequeño Rimbaud, el arduo camino a una nueva alegría, a una nueva esperanza, a un nuevo sueño, pero no a un sueño cualquiera, no a una esperanza débil, no a una alegría cautelosa, sino para que desde el hambre, desde los asilos de ancianos pobres, desde cada niño y niña violadas, desde las cárceles, desde los Sename de este mundo, emerja un sueño tan fuerte que dé vuelta a la realidad y nos muestre de nuevo los infinitos resplandores de esta tierra que aún nos ama. Y nos ama, e increíblemente nos ama, pues habría bastado que la cordillera de los Andes se hubiera desplazado unos pocos kilómetros más al oeste o que el nivel del Pacífico hubiese subido unos metros, para que nada de esto hubiese existido. Sin embargo, algo quiso que fuéramos, algo quiso que hubiese un pueblo más entre los otros pueblos, que hubiese un sueño más entre los otros sueños, que hubiese una voz más en la conversación general que todas las cosas mantienen con todas las cosas. Por razones que son misteriosas ese diálogo tomó en Chile la forma de la poesía.

La pregunta crucial que plantean los grandes poemas es: si los seres humanos son capaces de escribir el *Cántico de las criaturas* de San Francisco, de pintar los retablos de Fra Angélico o la *Mujer con flores* de Diego Rivera, si pueden ejecutar con zampoñas la música más profunda y bella del planeta, la música boliviana, ¿cómo puede entenderse que al mismo tiempo asesinen a otros seres humanos? Si la sobrecogedora voz de Isabel Aldunate cantó frente al país destrozado *El ayuno*, si Violeta Parra, sabiendo que se iba a matar, compuso ese himno que se llama *Gracias a la vida*, ¿cómo, con qué palabras puede explicarse que otros hayan hecho de los estadios mataderos de hombres? Si el poeta Robert Desnos, uno de los fundadores del surrealismo, cruzó los campos de exterminio, ejecutando, en las condiciones más infernales que se puedan concebir, el acto absolutamente delicado de corregir un poema de amor, ¿cómo pueden comprenderse las gasificaciones masivas, los hornos crematorios, Auschwitz? Un estudiante adicto al surrealismo, que había entrado con los partisanos checos, Josef Stuma, reconoció a Desnos entre los moribundos y recogió el poema. No contenía ninguna referencia a los campos ni a las circunstancias en que fue escrito. Era solo un poema de amor, pero precisamente porque era solo eso, un poema de amor en medio del infierno, constituye la denuncia más feroz que alguien haya hecho del horror del genocidio. El poema se llama «A la misteriosa», y pone frente a la monstruosidad de Treblinka la imagen de un sueño. Lo leo:

> Tanto soñé contigo que pierdes tu realidad.
> ¿Habrá tiempo para alcanzar ese cuerpo vivo y besar sobre esa boca el nacimiento de la voz que quiero?
> Tanto soñé contigo que mis brazos habituados a cruzarse sobre mi pecho abrazan tu sombra, quizá ya no podrían adaptarse al contorno de tu cuerpo.
> Y frente a la existencia real de aquello que me obsesiona y me gobierna desde hace días y años seguramente me transformaré en sombra.
> Oh balances sentimentales.
> Tanto soñé contigo que seguramente ya no podré despertar. Duermo de pie, con mi cuerpo que se ofrece a todas las apariencias de la vida y del amor y tú, la única que cuenta ahora para mí, más difícil me resultará tocar tu frente y tus labios que los primeros labios y la primera frente que encuentre.
> Tanto soñé contigo, tanto caminé, hablé, me tendí al lado de tu sombra y de tu fantasma que ya no me resta sino ser fantasma entre los fantasmas, y cien veces más sombra que la sombra que siempre pasea alegremente por el cuadrante solar de tu vida.

Opongo entonces la infinita devoción de ese poema, su insobornable pureza, a todas las crueldades de la historia, porque si la poesía de Robert Desnos no existiera, si el arte no existiera, probablemente la violencia sería la norma. Pero existe, y el solo hecho de que alguien en medio del holocausto pudo escribir algo tan increíblemente bello como «Tanto soñé contigo que pierdes tu realidad» hace que el crimen sea infinitamente más crimen y el asesino infinitamente más asesino.

Es lo que he tratado de mostrar en lo que he escrito. He imaginado en medio del terror de la Dictadura sagas inacabables que se me borraban al amanecer, poemas alucinados donde el Pacífico flota suspendido sobre las cumbres de los Andes y donde el desierto de Atacama se eleva como un pájaro sobre el horizonte. Imaginar esos poemas fue mi forma de resistir, de no enloquecer, de no resignarme. Sentí que frente al dolor y al daño había que responder con un arte y una poesía que fuese más fuerte que el dolor y el daño que se nos estaba causando. No se trataba de lanzar andanadas de pequeños poemas de combate, sino de algo mucho más arrasado, más luminoso, más sordo y violento. Había que hablar de amor, pero para hablar de amor había que aprender a hablar de nuevo, comenzar desde cada letra, porque ninguno de los lenguajes que existían antes bastaban para dar cuenta de lo que había sucedido. Siento que los escombros de esos años están allí, en esos intentos, y que, dictados por un deseo que nos sobrepasa, los poemas no son sino los sueños que sueña la tierra, los sueños con los que intenta lavarse del sufrimiento humano, y que uno no puede nada frente a eso sino apenas grabar unas pequeñas marcas, unos mínimos retazos que quizás sobrevivan al despertar.

Yo viví en Chile en los años de la Dictadura y sobreviví a ella y a mi propia autodestrucción. El año 1975, después de un episodio humillante con unos soldados, me acordé de la frase del evangelio de poner la otra mejilla y entonces fui y quemé la mía. No supe bien por qué lo hacía, pero allí comenzó algo. Recordé que de niño había visto un avión que volaba en círculos trazando con humo blanco el nombre de un jabón para lavar ropa e imaginé de golpe un poema escribiéndose en el cielo. Entendí entonces que aquello que se había iniciado en la máxima soledad y desesperación de un hombre que se quema la cara encerrado en un baño debía concluir algún día con el vislumbre de la felicidad. Dos años más tarde pensé en una escritura sobre el desierto que solo pudiese ser vista desde lo alto. Solo diría «ni pena ni miedo», y estaría surcando un país donde casi lo único que había era pena y miedo. Años más tarde vi la frase recortada sobre el desierto y, efectivamente, por su extensión solo se podía leer completa desde el cielo. Alguien reparó que el surco de las letras en la tierra se parecía al surco de la cicatriz en mi cara. Habían pasado dieciocho años y me sorprendió haber sobrevivido. Recibo esta distinción en nombre de nuestros ausentes.

Yo trabajo con mi vida y trato de que eso no sea una consigna. No porque mi vida tenga algo ejemplar, el diablo me libre de ser ejemplo de nada, sino porque creo que, si podemos llegar al fondo de nosotros mismos, sin autocompasión ni falsa solidaridad, mirando nuestra zona de luz, nuestra sed de amor, pero también toda nuestra reserva de odio, violencia y de crimen, es posible que lleguemos al fondo de la humanidad entera. Creo que todo lo que puedo haber hecho está allí. He escrito desde un cuerpo que se dobla bajo los efectos del párkinson, que se rigidiza, que tiembla, que se va para adelante y que cae, y he encontrado hermosa mi enfermedad, he sentido que mis temblores son bellos, que mi dificultad para sostener estas hojas que ahora leo es bella. He escrito sobre ese cuerpo, sobre los dolores que les he causado a otros y los que yo mismo me he infligido, he grabado con fuego mis poemas sobre mi piel. Solo los enfermos, los débiles, los heridos, son capaces de crear obras maestras. Siento que he escrito desde una cierta irreparable desesperación y, a la vez, desde una incontenible alegría. Una alegría extraña porque es como si naciera de la dificultad de ser felices. Del encuentro de esos fantasmas nace mi escritura. La escritura es como las cenizas que quedan de un cuerpo quemado. Para escribir es preciso quemarse entero, consumirse hasta que no quede una brizna de músculo ni de huesos ni de carne. Es un sacrificio absoluto y al mismo tiempo es la suspensión de la muerte. Es algo concreto, cuando se escribe se suspende la vida y por ende se suspende también la muerte. Escribo porque es mi ejercicio privado de resurrección.

Decía al comienzo que esta tierra aún nos ama, todavía quiere verse en nosotros, todavía el mar, el desierto, las montañas, quieren mirarse en nuestras miradas, todavía el sonido de las rompientes y del viento quiere reconocerse en nuestros oídos, todavía sus estrellas quieren reflejarse en nuestros ojos. En sus momentos más felices mi poesía ha tratado de expresar ese amor de la tierra, no siempre ha sido así. He escrito desde la herida y del daño en un mundo herido, enfermo, sin compasión. He escrito desde el dolor, pero nuestro deber es la felicidad. He escrito desde el odio, pero nuestro deber es el amor. Termino con el poema con que quisiera cerrar mi vida:

Entonces, aplastando la mejilla quemada
contra los ásperos granos de este suelo pedregoso
–como un buen sudamericano–
alzaré por un minuto más mi cara hacia el cielo
llorando porque yo que creí en la felicidad
habré vuelto a ver de nuevo las irrefutables estrellas
Te amo, Paulina, tú eres las estrellas irrefutables de mi
noche.

Ni pena ni miedo, trazado en el desierto de Atacama en octubre de 1993. Su
extensión es de 3.198 metros, por lo que puede ser visto solo desde la altura.
Foto: Guy Wenborne.

CLAVES

Raúl, ¿cómo definirías el cuerpo de Chile?

Como un cuerpo cruzado por una gran fragilidad. Los niños de nuestro país, desde muy temprana edad, en sus escuelas, se encuentran con mapas en que Chile aparece en su frágil, larga y angosta geografía, en la que basta con que sus cordilleras sean desplazadas unos cuantos kilómetros, o sus mares aumenten algunos metros, para que nada de eso hubiese existido.

¿Un territorio que antes de la conquista no existía en los mapas como país?

Chile, mucho antes de ser país, fue un poema. En esa hora de la conquista era apenas un bosquejo que recién comenzaba a aparecer en los mapas. Sin embargo, en su poema *La Araucana*, Alonso de Ercilla y Zúñiga lo describirá como «fértil provincia» de «remotas naciones respetadas».

¿Qué revela esa mirada de Ercilla?

Que Chile nace de una mentira. Porque, si no existía como país, ¿cómo podía ser respetado? ¿Respetado por quién? Desde entonces, lo que en el mejor de los casos ha hecho la poesía chilena ha sido reemplazar ese mito, como trató de hacer Pablo Neruda en el primer poema del *Canto General* o, de otra manera, más *chic* si se quiere, Vicente Huidobro en su *Altazor*.

¿Mentira solo nuestra?

Creo que hay una continuidad histórica de la mentira en América Latina. Hasta el siglo xix, eso de pertenecer a una región famosa fue una constante. En México quien rompió radicalmente ese mito fue Rulfo, en Brasil Machado de Asís, en Argentina fue Hernández y su «Martín Fierro». Luego, más tarde, vendrían el «Canto General» y el «Poema conjetural» de Jorge Luis Borges. Se trata del momento en que va a morir Francisco Laprida a mano de los gauchos, pero es también el momento en que descubre su destino sudamericano. El poema termina con una de las imágenes más desgarradoramente bellas que nos ha legado la poesía en cualquier lengua. Cada vez que lo leo me hace llorar. Creo que es la razón de por qué me lo sé de memoria:

> Zumban las balas en la tarde última.
> Hay viento y hay cenizas en el viento,
> se dispersan el día y la batalla
> deforme, y la victoria es de los otros.
> Vencen los bárbaros, los gauchos vencen.
> Yo, que estudié las leyes y los cánones,
> yo, Francisco Narciso de Laprida,
> cuya voz declaró la independencia
> pero me endiosa el pecho inexplicable
> un júbilo secreto. Al fin me encuentro
> con mi destino sudamericano (…)

El final, como decía, es magistral:

> (…) Pisan pies la sombra de las lanzas
> que me buscan. Las befas de mi muerte,
> los jinetes, las crines, los caballos,
> se ciernen sobre mí... Ya el primer golpe,
> ya el duro hierro que me raja el pecho,
> el íntimo cuchillo en la garganta.

En Chile, ¿fueron sus poetas quienes le salieron al paso a la mentira?

Así lo creo. Y explica que Chile sea un país de una vasta poesía. Tiene que compensar tanto esa fragilidad como esa gran mentira de su origen.

Raúl, esa trilogía tuya, Purgatorio *(1979),* Anteparaíso *(1982)* y La Vida Nueva *(2018, en su versión final), trilogía que se lee desde esa pasión de vida y muerte, de sueños y paisajes que nos rodean y nos reflejan y de los que somos parte, ¿cómo la describirías a la luz de esa gran mentira?*

No puedo responder, sabemos que los tiempos del arte y los tiempos de nuestras vidas raramente coinciden. Uno de los poetas más extraordinarios del siglo pasado, Ezra Pound, entendió que lo que había hecho no era para este mundo, los últimos dos versos de sus *Cantos* dicen:

> Dejen que el viento hable
> el viento es el Paraíso.

Sería también mi respuesta: no lo sé, dejen que el viento hable, el viento es el Paraíso.

Tarea necesaria: ¿transparentar lo que somos?

Sí, la de revelar una concepción de país con diferentes visiones y aproximaciones. Desde las de ser un pueblo valeroso, hasta ser lo peor, o lo peor de lo peor: no ser nada.

Como esa mirada que se ha tenido de los mapuches. Equívoca, prejuiciosa.

Son miradas de la elite o, y esto me parece más exacto, de quienes presumen ser la elite. En el caso de los mapuches hay que volver a ese intento de genocidio que significó la llamada «pacificación de la Araucanía». Toda sociedad esconde su lado oscuro, su reserva de criminalidad, su mala conciencia. En América Latina la encarnación de esa mala conciencia fueron los pueblos originarios.

¿Asociado a una manipulación de menoscabo cultural?

Sí, y que terminó en la tragedia de ese hecho ominoso que fue la llamada «pacificación de la Araucanía». Es impresionante. Uno lee los testimonios… Al observar la verdad de lo que se ha ocultado de esa guerra vemos una constante humana que sigue reiterándose y que fueron los judíos y los gitanos en la Alemania nazi. Hacia finales del siglo xix tres naciones adelantaron esos actos de exterminio: Chile, Argentina y su batalla del desierto y Estados Unidos con los pueblos indígenas de Norteamérica.

Una historia de desolación, de muerte impune.

De hecho, en Argentina prácticamente los exterminaron. En la guerra del Desierto, con el presidente Roca. En Chile no fue menos. Fueron hechos de una infinita crueldad. Hay una gran reparación pendiente. Lo que no se puede reparar son los hijos, las mujeres, los viejos asesinados. Eso estará siempre allí, no será jamás borrado.

¿La poesía mapuche rescata ese pasado?

Cuando viví en Temuco tuve muchas conversaciones con poetas mapuches. Los mensajes orales, de boca en boca, transmiten lo que significó Cornelio Saavedra y la irrupción de Chile en sus tierras, donde mandó a sus veteranos de la guerra del Perú a la Araucanía. Hay escenas de sacrificios, de torturas de un horror indecible al punto de que uno me dijo: «Ahora ustedes se quejan mucho de los crímenes y de las torturas de Pinochet, pero te quiero decir que eso no es nada comparado con lo que ustedes, no los españoles, ustedes, nos hicieron a nosotros».

¿Está aún vigente lo que significó esa denominada «pacificación de la Araucanía»?

Demasiado vigente, aunque lo ignores o trates de ignorarlo. La guerra de la Araucanía fue un inmenso despojo, un descuartizamiento de los «indios» que hicieron los mestizos chilenos. En el fondo son esos mestizos que somos matando a sus padres, porque esos padres, vale decir esos rasgos, esa fisonomía, les enrostraban su pertenencia, les recordaban a sus madres violadas por los conquistadores.

Violencia que, al recorrer la historia de América Latina, encontramos que se ha alimentado de mitos nacionalistas.

En América Latina las guerras entre países han sido pocas, pero muy feroces. Yo no hablaría tanto de mitos que, en última instancia, son sistemas hegemónicos de mentiras que se han terminado por volverse reales, indiscutibles, porque en el origen de todo mito está un hecho real.

En nuestro caso, ¿cuál sería?

Lo que nos sucede es que vivimos acosados, no por el gran mito, no descendemos del troyano Eneas, y en esa orfandad inmisericorde estamos cercados por mentiras contradictorias entre sí. A diferencia de lo mítico, no alcanzan a conformar una unidad y de allí las guerras. Una guerra es siempre una guerra de mentiras que, llevadas a su paroxismo, hacen surgir los Auschwitz, los Hiroshima. Las guerras de exterminio representan ese grado extremo en que las mentiras, como la adscripción a una raza, a una creencia o a una clase, necesitan de la muerte para cambiar de piel y poder continuar. Por eso son recurrentes.

Junto a esa fatalidad, ¿coexisten esperanzas, sueños?

Es que no se puede medir una sociedad, de un país ni del mundo, por lo bien que están los que están bien: «felices los felices», dice Borges, sino por lo mal que están los que están mal. Y los que están mal están muy mal.

Y está también el reverso de esos sueños, los que, por ejemplo, podríamos denominar anti sueños, como los de VOX en España, de «un mundo en llamas, amenazado, violento y degradado», que «necesita un salvador». ¿Qué piensas de esos salvadores?

«¿Y ahora quién nos liberará de nuestros libertadores?», decía en uno de sus artefactos Nicanor Parra. Es impresionante la lectura que hace Nicanor Parra con su antipoesía. Él es capaz de juntar el máximo cinismo con la tragedia y su sentido del humor no es sino la contracara de un pesimismo radical, su sentido del humor es, en su aspecto más literal, su sentido trágico. Parra es siempre cómico, no hay un antipoema que no lo sea, y es, a la vez, siempre trágico. Eso salva su obra, y de qué manera. Es un grande de la banalidad y de la intrascendencia. La risa de Parra es una risa trascendental, lo que lo hace más trágico y más cómico. Es Sófocles contando chistes. A diferencia de tantos poetas de opereta su risa nos hace sangrar de narices y de boca, pero él dirá que, por supuesto, no responde por eso. El problema con los libertadores es que llegan siempre a destiempo, cuando ya nadie los espera o cuando es demasiado pronto para comenzar a esperarlos.

¿La poesía se hace palabra en esos que están muy mal?

La poesía, si algo así aún existe, si lo que yo hago aún existe, debe descender a las fosas de lo humano donde están los más dañados, los más malditos, los que están muy mal, los más infectos; y, desde allí, emprender el arduo camino a una nueva alegría, a una esperanza, a un nuevo sueño. Pero tal vez nunca existimos y solo somos dos sombras que creen estar conversando en el jardín de una casa de Providencia.

¿A qué sueño te refieres cuando hablas de un nuevo sueño?

A ese sueño que emerja desde el hambre, desde el dolor. Y que sea tan fuerte que termine por dar vuelta a la realidad.

Al recibir en España el Premio Reina Sofía de Poesía 2020, en tu discurso de agradecimiento decías: «He llegado a creer que la historia de una lengua es la historia de las infinidades de seres que yacen en cada sonido que hablamos, y cuando volvemos a usar esos sonidos, esas pausas, esos acentos, le estamos dando a ese mar antiguo de voces los sonidos de un nuevo día». Y agregabas: «Hablar es hacer presente a los muertos». Te quiero preguntar: ¿La lengua que llegó con la conquista, al ser significada como una lengua de sometimiento al indio americano, no fue acaso una lengua portadora de dolor?

Sí, y creo que es el nudo de la poesía de César Vallejo. En el poema «España, aparta de mí ese cáliz» del libro del mismo nombre se habla de la letra en que nació la pena:

> Si cae –digo, es un decir– si cae
> España, de la tierra para abajo (...)
> ¡Cómo vais a bajar las gradas del alfabeto
> hasta la letra en que nació la pena!

Es decir que en la «a», en la «b», la «c», en la «d», y en cada una de las letras del alfabeto de la lengua que se impondría ya estaba incrustada la pena, y por ende nunca podríamos ser felices hablando la lengua impuesta, y nos muestra con ello la terrible paradoja de Ercilla, quien quería escribir un poema triunfante donde iba a cantarle, como se ve en los primeros versos con que se inicia *La Araucana*:

No las damas, amor, no gentilezas
De caballeros canto enamorados;
Ni las muestras regalos y ternezas
De amorosos afectos y cuidados:
Mas el valor, los hechos, las proezas
De aquellos españoles esforzados,
Que a la cerviz de Arauco, no domada,
Pusieron duro yugo por la espada.

Como muchas veces se ha reparado, su ensalzamiento del valor de sus enemigos, los araucanos, es la forma inmediata para ensalzar la proeza de la conquista. Pero todo está cruzado por una mentira e inadecuación enorme, no se trataba del *Mío Cid*, sino de una guerra en los confines del mundo donde un puñado de españoles libraban una lucha tan denodada como desconocida. El mismo Ercilla lo dirá en el prólogo en la primera de las tres ediciones del poema que realizó en vida en España, afirmando que lo ha escrito para que ese grupo de españoles no pasara al más total de los olvidos. Vemos así que la prosa da cuenta de lo «prosaico», de los hechos, sin adornos, y que el verso canta la maravilla de la mentira. Es la archiconocida definición de Chile que aparece tres estrofas más adelante:

Chile, fértil provincia señalada
De la región antártica famosa...

Al final, Ercilla se ha transformado y es uno más de esos esforzados españoles a quien quería inmortalizar en su poema. Desilusionado, termina *La Araucana* con uno de los versos más conmovedores y sinceros de la poesía española, «será razón de que llore, no que cante»:

Visto ya el poco fruto que he sacado,
Y lo mucho que a Dios tengo ofendido,
Conociendo mi error, de aquí en adelante
Será razón de que llore, no que cante.

Allí se unirán por una vez la prosa y el poema. Cuatro siglos y medio más tarde, César Vallejo nos dirá por qué el poema de Ercilla termina en la desilusión y la pena. Escribimos porque no hemos sido felices.

En realidades que son plurales...
Así es. Cada país tiene su propia fragilidad.

¿Dónde están los confines de tu poesía?

He escrito para una vida que no será mi vida, para un tiempo que no será mi tiempo, para una posteridad que no será mi posteridad. ¿Qué puedo decirte entonces de mi mirada? ¿Qué puede decir un ciego, un ciego de nacimiento, sobre el color azul? Bueno, los poetas son esos ciegos de nacimiento que miran el color azul.

Raúl, ese tecleo, ese dar vida a tu poesía, ¿cómo lo miras? ¿Un microcosmos? «¿Una naturaleza transfigurada vivida por ti?», citando lo que dijo el crítico Ignacio Valente en 1982 a propósito de la publicación de Anteparaíso[1].

Tengo 72 años. Mi obra no es para este mundo, no he escrito para este mundo. El tiempo de una vida es demasiado breve para abarcar y comprender lo que he hecho. Abro al azar *Purgatorio* o una de las 800 páginas de *Zurita* y en cada una de ellas están todas las páginas.

¿Qué puedo decirte sobre mi mirada? Nada más que es inseparable de lo que yo, u otro que se agazapa escondiendo sus manos en mis manos, teclea. Eso que más que una certeza es una incertidumbre que llamo «mi» poesía. Una vez intenté cegarme, qué más puedo decirte. Mi mirada no es más que mi mirada.

¿Las de un simple ciudadano?

Sí, mis palabras las digo como el ciudadano común que soy. Desde qué otro lugar podría decirlas.

---

[1] Valente, Ignacio. «Zurita en la Poesía Chilena». *El Mercurio*. 1982.

¿Palabras que se suman a esa esperanza social que vive Chile?

Creo que en esta efervescencia social que vive nuestro país, pese a haber existido tanta resistencia, se ha abierto una esperanza. Han sido muchos los costos, pero se ha abierto una esperanza.

Con un compromiso total de tu parte, participaste en las marchas del Estallido social.

Había llegado hace poco a Chile; tuve un preinfarto en el aeropuerto de Colombia. Tenía la prohibición médica absoluta de moverme. Bueno, igual fui, sostuve una bandera, desfilé... Me operaron al otro día; duró nueve horas y en un momento estuve clínicamente muerto. Pero estuve allí. Fui un testigo entre dos millones de testigos.

Tu voz, a la hora de la elección de los miembros de la Asamblea Constituyente, se escuchó nítida y fuerte. Compromiso que ha sido perseverante. Dijiste: «¡Cada voto es un piedrazo al corazón del sistema! ¡Jóvenes de primeras, segundas, cuartas, séptimas líneas, y todas las líneas, todas y todos de pie a votar!».

Hablemos de eso, pero puede ser una conversación desilusionante, en el sentido de que busques y veas cosas que en uno no están. Me acuerdo cuando apoyé a Ricardo Lagos. Y no fue de mi parte un apoyo mezquino; fue con todo, a pesar de que había indicios que me hacían dudar, como lo que dijo Francisco Vidal. Fui testigo directo, dijo que había que dejar de usar la palabra pueblo. Esto fue a la larga lo más grave que hizo su gobierno y tuvo consecuencias letales para la izquierda chilena que, salvo el Partido Comunista, compró muy pronto ese discurso que tuvo resultados lamentables de los que solo se ha salido recién. De esa cancelación surge la llamada izquierda renovada y el neoliberalismo.

¿Qué te quedó de ese apoyo a Lagos?

El hecho es que participé con entusiasmo en su campaña apoyando un fantasma, algo que no era y que nunca él dijo que era o iba a ser. Fue una equivocación mía. Fue mi ceguera y de eso al menos no tiene ninguna culpa Lagos. Él era, a propósito de lo que hablábamos recién, un ciudadano común y corriente, pero yo lo había visto como la encarnación de Salvador Allende. Él nunca dijo que era eso. Pero eso fue lo que vi. Fue un equívoco.

Se repiten los tiempos: el pueblo clama por dignidad. Tensiones entre la elite y quienes quieren cambiar la estructura de privilegios.

Y que existe en casi todas las sociedades. Relación que a veces, cuando se traduce en confrontación, se resuelve muy trágicamente. Como fue la Revolución rusa. Chile tiene particularidades, comenzando por ser el terreno donde se ensayaron las más distintas posturas ideológicas, desde el experimento de Allende de la vía chilena al socialismo, hasta el laboratorio ideal donde se experimentó el neoliberalismo. Pero, por supuesto, tiene de base una realidad que en Latinoamérica nos es común a todos.

¿Cuál sería esa realidad que nos une pese a nuestras diferencias?

La lengua. La unidad lingüística. Es increíble. Desde Río Grande a Tierra del Fuego tenemos la misma lengua. Un fenómeno absolutamente alucinante. Da una perspectiva continental desde la cual podemos extraer los particularismos, pero si uno mira el conjunto de América Latina, sus semejanzas son mucho mayores que sus diferencias.

Muy cierto lo que dices. A propósito de lo alucinante de la lengua, en el imaginario chileno el paisaje es avasallador. Tu poesía así lo revela. Cordillera, desierto, hielos antárticos, océano Pacífico, volcanes que hablan.

Es impresionante la aparición del paisaje. La noción misma de paisaje es tardía, no así la de naturaleza, pero es la que llega con la conquista. Antes, en estos territorios, no había naturaleza, había un mundo sagrado o mágico que hablaba con los seres humanos y que ordenaba el ciclo de la vida y de la muerte. Pero no había naturaleza. Esa idea de un paisaje, tal como la tenemos hoy, es una invención que nace con el horror y la pasión de la conquista. En *La Araucana* emergen los paisajes, pero solo porque representan obstáculos para el avance de los conquistadores. Basta preguntarse qué son los bosques para Ercilla. Son, al igual que los ríos que les cortan el paso, zonas de peligro. Existen solo porque son el terreno del enemigo, de sus emboscadas y ataques. Entonces, es el avance de los conquistadores lo que levanta los paisajes, que no son sino inmensos telones en blanco que se van llenando con la pasión de la conquista. Somos nosotros entonces los que vamos levantando, con la Pasión y el Vía Crucis de nuestras vidas, los paisajes. Ese es el gran aporte de *La Araucana* a este mundo. Ercilla vio los paisajes como una consecuencia de la conquista, pero de lo que estaba hablando era de nuestras vidas.

En tu poema «Queridas montañas» se lee: «Toda la eternidad te he esperado, responde al unísono el horizonte más blanco de los Andes abriéndose igual que todas las cosas». Cuéntanos acerca de ese los Andes/eternidad que nos habla.

La Cordillera que tenemos es imponente e imagino que tendríamos que irnos a Nepal para encontrarnos con algo así. Nosotros vivimos en ellas y ellas viven en nosotros. Están allí. Te preceden y te seguirán y al mismo tiempo la Cordillera es la suma de todas las miradas que la han visto. Esa es la maravilla de estar vivos. Son esas miradas las que sumándose una a una las levantan. Los latidos de nuestros corazones son los latidos de la Tierra entera. Lo hemos olvidado y tal vez ya es irreparable. La Tierra es una nave espacial que no nos requiere para continuar su odisea. Nosotros sí, la Tierra es la única nave que tenemos.

Jorge Millas, en su introducción al libro En Defensa de la Tierra *de Luis Oyarzún, se refiere a ver como algo que surge ante nosotros como presencia, algo que no estaba allí y, de pronto, se constituye como testimonio de existencia. ¿Qué piensas?*

Desde las miradas donde poco a poco va construyéndose una suerte de identidad. Las miradas que levantan nuestros paisajes. ¿Cómo son? ¿Dónde terminó y dónde comienza esa playa que estoy mirando? ¿Esa cordillera? ¿Esos desiertos? ¿Terminan en el horizonte? ¿Terminan físicamente acá? ¿Dónde se produce esa amalgama a la que en algún momento te refieres como el paisaje? Miramos paisajes póstumos. Montañas hechizadas por los sueños de millones de seres que son reales solo porque ven espejismos. ¿Y si nosotros fuéramos el sueño de las montañas que marchan? ¿Y si todo fuese un gigantesco equívoco? ¿Y si estuviéramos todos muertos y la muerte fuera el nacimiento? ¿No es eso acaso el eje del pensamiento místico: morir para acceder a la verdadera vida? En el poema «El desierto de Atacama» de *Purgatorio* y en «La marcha de las cordilleras» de *Anteparaíso* digo literalmente eso, y de golpe estamos de nuevo en el mundo. Lo que llamamos mundo es ese borde infinitamente delgado que el poema no quiere borrar. En ese borde estamos nosotros sentados en la cuneta. Es una versión de la realidad posible. Digamos entonces que arriba de ese borde están las estrellas, abajo, el rumor casi inaudible del mar.

Quisiéramos preguntarte acerca de esos cuerpos de violencia histórica que son parte del paisaje en Chile y en el mundo. En el Memorial a los Detenidos Desaparecidos del Cementerio General de Santiago, se lee tu verso «Todo mi amor está aquí y se ha quedado pegado a las rocas, al mar, a las montañas». ¿Crees que la voz de los poetas transparenta esos dolores paisajes, esos paisajes dolores?

Mientras se siga escribiendo un solo libro la justicia no habrá sido instalada en el reino de este mundo. Mientras se tenga la necesidad de construir obras que entierren a los muertos por nosotros, significa que no hay paz con los muertos. Imaginarse entonces el horizonte final frente al cual nuestras literaturas se despliegan es imaginarse el horizonte donde esos libros ya han dejado de ser necesarios. El fin de la literatura es su auto aniquilamiento en función de un mundo que ya no la precise, al menos, en los términos que hoy podemos entenderlo.

INOCENCIA EN EL MIRAR

Andrés Sabella, el poeta nortino, refiriéndose al roto chileno, decía: «Bronce color. Astucia genial». ¿Rasgos culturales de nuestra identidad?

Hay rasgos de los chilenos que suelen escucharse cuando se quiere tipificarlos. Como que son particularmente envidiosos. O ese sentido del humor de que se hace gala.

¿Propios de nuestra idiosincrasia?

No sé qué será tener una idiosincrasia. El término me parece equívoco y, más aún, si se refiere a los países latinoamericanos uniformizados a la fuerza por la imposición del castellano. Pero no es privativo nuestro y, en todo caso, dan cuenta más de características individuales que de países. Tan envidiosos son los españoles, los venezolanos, colombianos, mexicanos y peruanos. Y esa chispa en nuestro pueblo, sin igual en sus dichos como nos gusta decir, también la encontramos en los italianos, por no hablar de los mexicanos, desde Cantinflas hasta el Chavo.

¿Y dónde, si es que la hay, recaería nuestra particularidad? Porque ciertamente no somos argentinos.

Ciertamente somos diferentes a los rioplatenses, pero basta que se encuentren afuera y se reconocen infinitamente más cercanos; nuestras infancias son semejantes, las adolescencias, pero mirados desde nuestras localidades, las diferencias se perciben como enormes. Santiago y Buenos Aires han seguido cursos distintos y han sido tanto la pobreza como la pandemia las que nos han vuelto semejantes. Las tragedias aplanan todo, borran los matices. A inicios de los cincuenta Perón visitó Chile. Miró

Santiago y vio los conventillos rodeando el palacio presidencial y encontró que Chile era una miseria. En contraste, si uno ve lo que la plutocracia bonaerense hizo de Buenos Aires, sus avenidas, sus parques, la suntuosidad de sus edificios, el contraste es abismante. Buenos Aires es una ciudad que ha sido cantada, escrita, mitificada hasta el delirio por el tango, por sus escritores: Cortázar, Sábato, Mujica Laínez, Borges, Gardel.

¿Envidia soterrada nuestra?

Siempre he creído que la secular envidia que los chilenos han experimentado por los argentinos tiene que ver con que Santiago, aunque se construyan mil Sanhattan y hoy nuestros rascacielos sean más altos, jamás será Buenos Aires. Qué hacerle, no nos fue dado un Pugliese, un Troilo. No compusimos «La Cumparsita», esa pamplina consternada que les gusta a muchos porque les mintieron que es vieja, Borges dixit.

Y si subimos por América nos encontramos con los mexicanos y sus mariachis.

Y no solo su música. Hay que mirar también sus estatuas. Llama la atención. No hay en México ninguna estatua en la que aparezca Cortés. No hay. Creo que esa ausencia es el origen de la notable ensayística mexicana y su gran literatura: Paz, Fuentes, Monsiváis y, por supuesto, Juan Rulfo. No hay país en nuestro continente que se haya pensado más a sí mismo que México. Por ejemplo, esa particularidad de los mexicanos tampoco veo que esté con nosotros. Mira el embrollo que se ha originado por el desplazamiento de la estatua de Baquedano desde la plaza de la Dignidad. Es el derrumbe de un ciclo histórico y de una cultura que enarboló los triunfos militares como algo paradigmático. Pero los triunfos se olvidan, las tragedias permanecen.

¿Somos chovinistas, patrioteros?

Multiplicado hasta la saciedad. Una y otra vez escuchamos decir que los chilenos son valientes, los chilenos son altivos, y cuentos semejantes a los que puedes contraponer igual números de contra ejemplos. Hay una anécdota que ilustra bien esto. Puede que sea una historia inventada, pero qué importa si lo es. Fue un encuentro diplomático donde surgió una discusión sobre cuáles eran los países más chovinistas, y el diplomático chileno dijo que sin duda era Chile e inmediatamente aclaró: ¡pero nosotros con razón!

¿La diferenciación no deja entonces de sorprendernos?

Son caricaturas pero que de tanto funcionan, como en esos famosos chistes donde se encuentran un argentino, un español, un alemán y un chileno. Se dice que los alemanes se vuelven locos con los imprevistos y yo conocí el caso de un joven alemán, nieto de chilenos, que se vino a Chile y se incorporó a una universidad donde comenzó a realizar un trabajo administrativo, hablaba un castellano perfecto y era ideal para el puesto, pero no funcionó. ¿La razón? Carecía por completo del más mínimo sentido de la improvisación. Simplemente los imprevistos lo volvían loco. Algo que aquí se resuelve en dos segundos era para él algo insuperable.

¿Hay improvisadores más avispados que los chilenos?

Los italianos, especialmente los del sur. Hasta al más astuto de los listos chilenos puede enloquecer; un amigo inglés decía que en Italia el factor azar está multiplicado por quinientas veces. Si reservas una mesa en un restaurante italiano tienes quinientas veces más posibilidades que en cualquier otro restaurante del mundo de que llegues y la mesa no esté, porque llegó alguien que no había hecho reserva pero era cuñado del cocinero. Conclusión: te quedaste sin mesa. Son caricaturas, está claro, pero todos hacemos caricaturas de nosotros. De los demás. ¿O si no cómo podríamos movernos con un mínimo de seguridad en el mundo?

Particularidades e identidad

©Pepe Torres

La poesía crea mundos. Pareciera tener vida propia.

Es un arte misterioso pero todo arte lo es. Nunca se sabe por qué pusiste esas palabras y no otras. Hay poetas como Octavio Paz o TS Elliot que son extremadamente lúcidos, pero enmudecen frente a la realidad concreta de un poema. Te pueden explicar cualquier cosa, salvo las preguntas que cualquier lector podría hacerse: ¿por qué, en vez de poner la odiada rosa negra, pusieron la adorada rosa blanca?

¿Piensas que la poesía chilena alcanza cumbres que dan vértigo?

Alcanza dimensiones indescifrables. Como en «Alturas de Macchu Pichu» y su archiconocido «Sube a nacer conmigo hermano», uno de los versos más famosos del siglo XX. Está en el *Canto General* de Neruda. La historia de ese verso es impresionante y lo comprobé cuando vi el original pasado a máquina de *Canto General* que posee el poeta César Soto. Al final de uno de los cantos decía: «Ven conmigo a mi casa hermano»; la frase está tachada con la tinta verde de Neruda y arriba, escrito a mano, pone: «Sube a nacer conmigo hermano».

Una auténtica transmutación.

Así, en una línea, levanta Neruda la imagen de un nuevo futuro y de una nueva identidad para tantos y tantos oprimidos que yacían silenciados en la historia y en la vida, mostrándonos de paso la autonomía profunda del lenguaje.

¿En sus resonancias religiosas e ideológicas?

Es el mito cristiano de la resurrección; se supone que Neruda es un poeta marxista, ateo. Allí es la lengua la que habla. Las ideas personales, las creencias individuales son arrasadas por la lengua castellana, que es la lengua cristiana por antonomasia, la lengua de la conquista y de la evangelización, de la contrarreforma y la inquisición. Es esa lengua la que se expresa y se abre a una gran reconciliación futura.

Poema genial. ¿Canción emblema?

Instantáneo. Misterioso. Transforma el poema en un emblema. Toda la comunidad se ve reconocida en sus imágenes, ritmos, cadencias. Algo semejante con otro poema extraordinario, de los más famosos de la historia de la poesía, el poema «Libertad», de Paul Eluard. Lo escribió durante la ocupación nazi de Francia. Impreso en miles de volantes fue arrojado por la aviación inglesa sobre los territorios ocupados. Son veintitantas cuartetas que terminan con el mismo verso: «Escribo tu nombre». Es esto, me acuerdo de su comienzo:

> Sobre mis cuadernos de colegial
> Sobre el pupitre y los árboles
> Sobre la arena sobre la nieve
> Escribo tu nombre
>
> Sobre todas las páginas leídas
> Sobre todas las páginas en blanco
> Piedra, sangre, papel o ceniza
> Escribo tu nombre
>
> Sobre las imágenes doradas
> Sobre las armas de los belicosos
> Sobre la corona de reyes
> Escribo tu nombre

Amo a Paul Eluard. Ese poema tenía el nombre de una mujer, con lo que ya habría sido un gran poema. Pero en el último segundo lo cambia y le pone la palabra Libertad. Es sobrecogedor:

Y por el poder de una palabra
Yo reinicio mi vida
Yo nací para conocerte
Para nombrarte
Libertad

Transforma el poema en un emblema. Semejante a lo que ocurre con Neruda cuando escribe «Sube a nacer conmigo hermano». Sin esa frase, no hay Los Jaivas, ni Quilapayún, ni Inti Illimani. Ahí yace lo insondable, lo radical.

Citabas a Octavio Paz, ¿comparable a Neruda?

No, como poetas tienen dimensiones incomparables. El pensamiento de Octavio Paz... Sus ensayos son a menudo brillantes. Como Borges, es un seductor. Hay que fijarse en los finales de Paz, en cómo remata sus ensayos, es como si dijera: y aquí te mato. Ahora, la diferencia con Borges es que Borges no cae en esa tentación obvia. «Nadie lo vio descender en la unánime noche» es el comienzo de *Las ruinas circulares*, cuento magistral, prodigioso, donde cada adjetivo pareciera ser puesto por una voluntad supra humana. Es también la sensación que dejan los grandes poemas de Neruda. Eso nunca sucede con Paz. Paz es, sobre todo, el esfuerzo de una voluntad. Su poema más celebrado, «Piedra de Sol», es un poema forzado.

Efectivamente, cada uno con poemas tan diferentes, como «Alturas de Macchu Picchu» de Neruda y «Piedra de Sol» de Paz.

Basta leer «Alturas de Macchu Picchu» y «Piedra de Sol» para encontrar toda la diferencia. En Neruda no hay esfuerzo, es como un río. Paz fuerza, trata de seguir, pero llega a duras penas.

¿Y Gabriela Mistral? ¿Le hace sombra?

Hay toda una campaña contra Neruda que me aburre. La de anteponerle siempre a Gabriela Mistral. Una mujer increíble, de una lucidez visionaria. Una gran poeta. Ella no necesita de esa denigración permanente del fascismo intentando destruir a Neruda para ser lo que es. La Mistral se adelantó con sus himnos a *Canto General*, tuvo la intuición, como la tuvo el poeta mexicano Carlos Pellicer. Son antecedentes válidos que no le quitan una coma a la obra imponente de Neruda. Suele decirse que la obra de Neruda es dispareja, pero para eso basta la respuesta de Nicanor Parra: «Señores lectores exigentes, la Cordillera de los Andes también es dispareja».

¿Algún poema en particular de la Mistral que te cautive?

Sí, sus *Sonetos de la muerte* son un momento extremo de la historia de la poesía. Su fuerza es arrasadora, qué más se puede decir:

> Me alejaré cantando mis venganzas hermosas,
> ¡porque a ese hondor recóndito la mano de ninguna
> bajará a disputarme tu puñado de huesos!

¿Y su Poema de Chile?

Nunca lo publicó y fue seguramente porque consideró que no estaba bien. Lo corregía y contra corregía. Creo que estuvo muy insegura de eso. La figura del pequeño niño indio que la acompaña en su recorrido por Chile simplemente no funcionaba; creo que no resultó porque no pudo resolver entre la escritura de un himno y una intención pedagógica.

¿Tu mirada de Violeta Parra?

Es el contraejemplo. Increíble. No necesita forzar nada. Su voz es única. Autosuficiente. Me impresiona su relación con la lengua.

De una pureza prístina. Posee ese extraño don de una ingenuidad sabia. Como cuando dice: «Volver a los diecisiete es como ser sabia en un segundo». Letras maravillosas que son grandes poemas. Frente a ellas surge la pregunta: ¿de dónde está saliendo esto?

Hablando sobre Violeta es imposible eludir el tema de nuestra cultura, nuestra música.

Es que algo pasa con nuestra música. Tenemos creadores extraordinarios y qué más ejemplos que la misma Violeta o Víctor Jara o Patricio Manns. Pero, como país, no tenemos un folklore en el cual un pueblo se reconozca. Un folklore poderoso. Basta cruzar la frontera. Llegas al aeropuerto de Mendoza y escuchas de inmediato su música, sus zambas y tangos. Y si llegas al Perú, en Tacna es lo mismo, ya en el pase fronterizo escuchas su música, los valsecitos criollos, los huaynos. Y lo mismo en México con sus mariachis. Chile no tiene eso. Acá, la música que te recibe, si es que la hay, es una música embotellada, de zapatería o mall. No hay una música poderosa. No hay ninguna canción que diga: «¡México lindo y querido, si digo que muero lejos de ti, que digan que estoy dormido, y que me traigan aquí!». Eso no existe en la música chilena, no existe con esa fuerza. Y de pronto surge Violeta Parra, que recoge y se nutre de lo rural e inventa a partir de eso un lenguaje nuevo. Algo no oído antes.

¿Y nuestra poesía no corre la misma suerte?

Nosotros no creamos el tango, tampoco la música boliviana. Pero algo nos pasó con el mundo de la poesía. Creo, como te decía, que tiene que ver con Ercilla. Fue el primero que escribió un poema grandioso en nuestro territorio. Y no es que uno quiera hacer una defensa corporativa del oficio. Pero cada vez más me parece que es parte de un misterio que va mucho más allá. De pequeñas señas. Tal vez una posible trascendencia. Probablemente de todos esos huecos que no entendemos. Como no entendemos por qué tenemos que morir.

Cuando hablamos desde un «nosotros», desde lo plural que habita nuestros países, ¿de qué estamos hablando?

Considerando estas particularidades que están en nuestros países, me parece fantástico cuando hablamos desde un nosotros. Por ejemplo, en mi caso soy comunista. Se retrotrae a tiempos pasados. Y ha permanecido. Por eso entiendo ese nosotros. Porque es simple, nítido. No sé cuándo responde a la realidad. No sé si ya es mucho. Porque han pasado demasiadas cosas. Pero, por lo menos, me siento reconocido. Siento ese nosotros.

Hay escritores que buscan representar «lo chileno». Es el caso de Lukas con su Bestiario del Reino Chile. *Busca representar tipos humanos chilenos a partir de equivalentes en el reino animal.*

En 1974, torturada hasta lo indecible, muere asesinada por la DINA la estudiante de Sociología de la Universidad de Chile Lumi Videla. Los esbirros arrojaron el cadáver al interior de la Embajada de Italia para que se creyera que la habían matado los asilados que se encontraban en la embajada. *El Mercurio*, bajo la autoría de Lukas, publica una caricatura. Se muestra un cañón, como esos de los circos, lanzando un cuerpo sobre los muros de un recinto cerrado. Con la leyenda: «El fantástico número del proyectil humano disparado sobre los muros de una embajada». De ahí Lukas me produce un rechazo visceral. Es de las cosas más crueles que he visto en mi vida. Lukas representó una de las caras más oscuras del fascismo, y me bastó una sola de sus viñetas para experimentar el horror del servilismo de quienes quieren congraciarse con el poderoso de turno. Eso fue Lukas.

A propósito de tu vida, ¿te sientes alguien especial?

Hay quienes dicen que, dada mi condición de poeta y en el mejor de los casos, presumo de ser algo especial, y están los que creen que sí soy alguien especial. Pero la verdad es que no me considero ni soy para nada un tipo especial. Para nada. Estudié en un liceo. Hijo de madre viuda. Con una vida un tanto agitada, es cierto, pero es la vida que me tocó.

Poeta admirado por toda una generación. ¿No sientes esa mirada de los otros, en este momento histórico tan especial que viven los chilenos?

Estoy como en una especie de páramo, pues es algo mucho más profundo que incluso eso que llaman un «cambio epocal». No sé de qué es signo esto. Me imagino que en un momento todos, de todas las clases sociales, han sentido que esto es un cataclismo. Esperanzador para algunos, catastrófico para otros.

La historia así lo atestigua.

Con toda la dimensión de las pesadillas, sueños, terrores y esperanzas que los grandes cataclismos sociales traen consigo. Como evoca la Revolución de octubre, el asalto al Palacio de Invierno o la toma de la Bastilla.

Pero hoy estamos en tiempos de pandemia.

Hace que nos demos de bruces con nuestra azarosa, frágil, ineludible individualidad. Es un libreto que está allí, delante de nuestros ojos, pero no sabemos qué está representando. Creo que lo más cercano debe ser la experiencia de vivir en una ciudad que está siendo infernalmente bombardeada. Sabes que están los enemigos, sabes que es altísima la posibilidad de que mueras triturado por una bomba, tienes todos los datos, pero no sabes nada. Salvo quizás esto: que los niños y los viejos son los más expuestos. Yo soy viejo, tengo una enfermedad, me cuesta moverme, me cuesta huir.

¿Te impactó el Estallido?

Me remeció hasta las lágrimas; de pronto, en medio de la muchedumbre, sentí que me faltaba el aire, tenía una feroz taquicardia. Tuve la sensación fuertísima de que ya había estado allí y que yo era mi fantasma que venía conmigo. No sé qué poemas escribo ni cuál es mi fantasma. Porque el tema central es quién escribe. ¿Quién se mete dentro de ti? ¿De quién son esos dedos idénticos a los tuyos que se posan sobre el teclado y escriben tus poemas? ¿Quién ocupa tu voz y habla con una lengua que comprendes solo a medias? ¿Quién está diciendo por ti lo que solo tú podías decir? ¿Qué es ser un «yo» finalmente? Dices «soy yo» y se te llena la boca con el agua salada del mar. Soy el mar. Tú eres el mar.

Hablamos desde nuestras experiencias. Desde esa condición humana tan contradictoria y universal, siempre sorprendiéndonos en su capacidad de infringir amor y horror.

Recuerdo a mi abuela italiana cuando hablaba del «peligro amarillo». He estado dos veces en China. Recuerdo una conversación con un grupo de estudiantes chinos, eran encantadores. En un momento me hablaron de los horrores que los soldados japoneses le hicieron a la población china, menos conocida en occidente que los crímenes nazis. Comprendí que esa herida no está zanjada y, aunque estaba yo al tanto, me fue inevitable no sentir dolor, un dolor agudo y profundo por la semejanza del horror que seres humanos les causan a otros seres humanos.

¿Historia cruenta entre los seres humanos?

Pareciera no ser otra cosa que la historia de venganzas sobre venganzas. Mira, yo estaba en Hong Kong en el momento en que comenzaba la rebelión y las protestas contra el poder. Estaba invitado a uno de los festivales de poesía más bellos en que he estado en mi vida.

Pero Hong Kong me dejó temblando. Pero China es un abismo demasiado grande, el ideograma de China significa «el país del centro» y desde ese lugar ve a Europa. Es sobre lo que enfatizó un dirigente chino frente a lo que consideraron una intromisión de Francia en el asunto de Hong Kong. En el fondo, ¿qué es Francia para ellos? Una cosita pequeñísima allá lejos.

¿No crees que nos ha tocado vivir en un período de grandes ciclos irracionales y de confrontación?

Esas grandes olas migratorias, esos éxodos de los que descendemos son una constante humana y la crisis planetaria hará que esas olas sean cada vez mayores y finalmente van a arrasar Europa. Europa es un jardín en medio de un caos de miseria. Lo van a copar. No van a poder pararlo a no ser que hagan un esfuerzo de colaboración con los países africanos, que no veo cómo estarían dispuestos a hacer ni si tienen la fuerza para hacerlo.

A propósito de confrontación, está la de Estados Unidos con China.

Como dijo Xi Jinping, crucial es evitar la llamada paradoja de Tucídides, el historiador de la guerra del Peloponeso, que vio la destrucción de Atenas en manos de Esparta, y que dice que cuando un imperio va en alza, y otro va en decadencia, inevitablemente hay guerra.

Y suma y sigue. El colapso del medio ambiente, de no frenarse los ritmos de contaminación, está a la vuelta de la esquina.

Estamos a la orilla de una evidente catástrofe planetaria, la tenemos aquí y lo que nos muestra es que como humanidad no hemos sido dignos del universo en que nos tocó vivir. Que no merecemos lo que tenemos porque nunca fuimos capaces de tener conciencia del universo. De la maravilla de estar, mirar, de la maravilla de estar vivos, de la maravilla de morir.

¿No somos acaso, en los estándares occidentales, unos ignorantes de lo que se vive tras nuestras fronteras culturales? ¿La realidad vivida en Afganistán no es una prueba viva de esa ignorancia?

Sin duda que así es. Toda cultura es un sistema semicerrado de preguntas y respuestas. Por ende, hay un número infinito de culturas posibles y, en principio, solo en principio, ninguna es superior a la otra en la medida en que esa cultura es una respuesta adecuada a su medio. El gran problema no es permitir que, por citar un ejemplo monstruoso, se mutilen los genitales de las mujeres, sino que, teniendo la noción de código, no se combatan prácticas aberrantes desde el conocimiento profundo de a qué están respondiendo esas prácticas.

Oscuridades y miedos

Poema «El mar del dolor», que se instaló en la Bienal de Kochi-Muziris,
India, el 2016.
Foto: Paulina Wendt.

¿Qué nos ha pasado? ¿Hemos retrocedido en humanidad?

Vivimos en un mundo aterrador y fascinante porque el terror puede ser también fascinante. Es como una pulsión de muerte inextirpable, tanto o más fuerte que la pulsión de vida, donde el gran anhelo es que llegue pronto el fin y que todo se acabe. Un suicidio mundial que tal vez ya ha comenzado y los dramas bíblicos del hambre, de la sequía, de los mega incendios, sean la manifestación de una humanidad que quiere morir. Frente a eso la única respuesta es otra pregunta: ¿por qué, sin embargo, el suicidio no es una opción mayoritaria y que, al contrario, prácticamente no exista entre las poblaciones que más sufren? ¿Por qué esa mujer que vio morir al hijo no se mata después? ¿Por qué el tipo que vio cómo se ahogaba su hijo al cruzar el Mediterráneo no se suicida? Tal vez en la desfachatez reiterada del horror hay con todo una esperanza, una terca esperanza. Porque a lo mejor la gente, en la persistencia de lo humano, en una ínfima posibilidad, tiene aún un sueño.

¿Esenciales los sueños?

Si nos despojamos del sueño no duramos ni cinco minutos. Sin la imagen de una nueva mañana nadie vive. Y allí están los millones de millones de sueños que resisten a la destrucción total. Allí está la lucha de lo humano. En esa crueldad y en su esperanza.

Cito un trozo de tu creación literaria cuando dices «los poemas no son sino los sueños que sueña la tierra, los sueños con que intenta lavarse del sufrimiento humano...».

Es la manifestación de ese dolor absoluto e inconcebible que no alcanza a ser verbalizado. No tiene expresión en las palabras y no alcanza a ser lenguaje. Como esa madre que te mencionaba que ve a su hijo masacrado o ese padre que no puede salvarlo y se ahoga a metros de él. Tal es el dolor que no alcanza siquiera a ser formulado en palabras. No se alcanza siquiera a decir «yo sufro».

Gritos de dolor y desesperación. La historia está plagada de ellos.

Esos gritos no son algo que pueda ser respondido. Es el lugar donde se desfondan todas las palabras. Son como los hoyos negros del lenguaje. Por allí se chupa todo.

Dolor que en Chile sufrieron los detenidos desaparecidos.

Los detenidos desaparecidos han sufrido ese dolor que ninguna palabra puede describir, formular ni explicar. No hay palabras para explicar el dolor absoluto. No las tenemos. Cómo se puede explicar lo que está pasando por la mente en ese extremo doloroso de ser matado por otro hombre.

Si no hay palabras para expresarlo, ¿qué hacer para no olvidarlo?

La paradoja es que, porque no las tenemos, hay que gritar esas palabras con fuerza. Hay que gritar todo ese silencio hasta que se nos rompa la garganta.

¿Está también el amor?

Claro, en el otro extremo está el silencio infinito del amor, no existe un amor pequeño, todos los amores son grandes amores o son nada. Es tan grande el amor que todas las palabras, todos esos «te amo» y «te adoro» sobran, están de más, ese amor que excede infinitamente a la palabra amor y que por lo mismo es el otro gran silencio y, si estamos vivos, si vivimos, es porque en la guerra de esos dos silencios, el silencio incancelable del dolor y el silencio del amor, están las palabras, las lenguas humanas, que no son otra cosa que la historia del malentendido. Vivir es gritar nuestro amor sabiendo que ese grito no alcanza.

Un retrato de lo que es la vida. Un continuo entre dolor y amor.

Es como si la vida transcurriera entre esos dos extremos, entre los hoyos negros del dolor y su anverso: la experiencia radical del amor.

¿Lo que llamas purgatorio de las palabras?

Es lo que queda entre lo que no alcanza a decirse porque es el horror puro y lo que no puede decirse porque es el amor puro. Entre esos dos extremos vivimos. Transcurrimos en el purgatorio de las palabras.

Lo que dices, esa dualidad entre horror puro y amor puro, ¿cómo se proyecta en ese «nosotros» que demanda la vida en sociedad?

Pienso que la palabra «nosotros» o es una dimensión del infierno o es una dimensión del paraíso. Cuando a los judíos –llámense Jacob, David, Isaac– los echaban a los hornos crematorios, era un «nosotros» lo que estaba frente a un mismo horror que cancela nuestros nombres. No hemos entendido aún que los nombres borrados en el horror de los genocidios, de la violencia que seres humanos ejercen contra otros seres humanos, son nuestros propios nombres.

¿Y en la celebración? ¿En el rito de la fiesta?

El dolor y el amor, el exterminio y la fiesta, suspenden la vida y por ende suspenden también la muerte. Las muchedumbres enfervorizadas que aclamaban a Adolf Hitler y las que gritan un gol en los estadios pertenecen a la misma inmortalidad, cuando recuperan sus nombres continúan su inexorable tránsito hacia la muerte.

Los dioses, el destino y el libre albedrío se entrecruzan a través de la historia.

En el comienzo de la *Odisea* los dioses están reunidos en una asamblea recordando a Egisto, a quien ya había matado Orestes, el hijo del rey Agamenón, que a su vez había muerto en sus manos. Los dioses le habían advertido para que no cometiese ese crimen, sin embargo, Egisto no los escuchó y siguió adelante. Es entonces cuando Zeus lanza esta frase con la que comienza el libre albedrío: «¡Oh, dioses, qué demencia la de los mortales que se empeñan en culparnos a nosotros, los dioses, de sus desgracias, siendo que son ellos mismos, con sus locuras, los que se acarrean desgracias no decretadas por el destino». Es impresionante.

¿Estamos viviendo un tiempo en que lo racional sufre embestidas de lo irracional? ¿O siempre ha sido así?

Hay un estereotipo de racionalidad. Como la de esa sociedad virtuosa en que todos están de acuerdo con lo que quieren, eliminándose en consecuencia las grandes contradicciones. Pero la historia muestra que la racionalidad no es más que una simple capa. Bastan cosas muy pequeñas para que afloren nacionalismos, fanatismos religiosos que dejan al descubierto la irracionalidad. Nada hay más irracional que las guerras. Todos sufren. Incluso quienes son vencedores. Pero enamorarse también es un acto supremo de irracionalidad, si todos los seres se enamoraran al mismo tiempo el universo igualmente colapsaría.

¿Los grandes sueños colectivos? ¿Los grandes infiernos colectivos? ¿No son expresiones de lo irracional?

Democracias como la de Dinamarca, Suecia, Holanda, aparentemente, tienen gran parte de sus conflictos solucionados. Sin embargo, tienen unos índices de suicidios altísimos. Y frente al suicidio todos los discursos y explicaciones fracasan; es el vacío de lo humano.

¿Y qué queda entonces a la hora de hacer los balances? ¿Lo que se llama los avances civilizatorios?

La razón ciertamente es un avance civilizatorio. Porque permite atenuar algunas cosas. Porque somos racionales no te pego un cuchillazo a la primera que no estemos de acuerdo. Pero es una capa que se vuelve en extremo peligrosa cuando toma precisamente la apariencia de razón. Ejemplo, el Holocausto judío. Es una inmensa maquinaria de lo racional lo que se pone en juego, toda la inteligencia que requiere echar a andar esa enorme maquinaria de muerte. Pero esa razón que significa el infierno. La razón desgraciadamente sucede con una frecuencia escalofriante, puede volverse en contra de sí misma. El Holocausto de los palestinos en lo que fueron sus propias tierras no tiene explicación racional y si la tuviera el horror de la razón sería insoportable. Es lo que sucede con el sionismo, las razones que esgrimen son horrorosas precisamente porque las conocen.

Y en nuestro país están los detenidos desaparecidos. Los muertos son los muertos. ¿Infranqueable realidad?

La única aproximación que podemos tener a eso es la poesía. Porque nadie, porque como dice Shakespeare en *Hamlet*, nadie ha cruzado de vuelta las fronteras del país desconocido. Es sobrecogedor. Puesto frente a la posibilidad del suicidio dice: «Morir, dormir, soñar, y en un sueño pensar que terminaron los pesares. Ah, el problema es ese: ¿qué sueños pueden ser los que sobrevengan en el dormir profundo de la muerte?».

Frente a ese misterio, el lenguaje queda como paralizado, impedido de ir más allá.

El lenguaje es el conjuro que lanzamos frente a la muerte. Pero nada puede frente a ella, frente a la muerte todas las palabras que nos decimos son solo gritos del silencio.

*Integrar el tiempo humano y mortal con su dolor es parte
de un tiempo geológico y mayor.*

Incorporar la muerte en el lenguaje de los vivos ha sido el
gran problema y las culturas no son sino las diversas respuestas
que las sociedades se han dado para incorporar eso, que es absolutamente inexpresable, a lo expresable. Esos intentos fracasan e
invariablemente se construyen otros. La sociedad capitalista es el
mega intento de retirar la muerte del horizonte humano, dado que
no puede vencerla. Una sociedad obsesionada por el terror de la
muerte no consume.

¿La poesía es entonces la voz de la vida frente a la muerte?

Es el conjuro para que traigamos nuestros muertos a la vida.
La historia de la poesía es la historia de la nostalgia, es la súplica
que lanzamos al vacío para que nuestros muertos regresen.

No es tan fácil descifrar esa lógica.

Había una revista de historietas argentina, *Rico Tipo*, que tenía
un personaje, el Ñato Desiderio, que vivía en un conventillo mante-
nido por la mamá que lavaba ropa. El Ñato tenía dos devociones:
una que era hincha de Boca Juniors y la otra era la lectura, sobre
todo de los autores «sistencialistas», como llamaba a Sartre, Ca-
mus… Se había impuesto por misión que los del conventillo leyeran
a los «sintencialistas». Cuando, ya aburridos por la obsesión del
Ñato Desiderio, le preguntaban qué era «sistencialismo», este les
respondía: «Vos, antes de nacer, ¿qué eras?: un muerto, ¿cierto? Y
después de morir, ¿que sos?: un muerto, ¿verdad? Bueno, eso dice
el «sistencialismo», que sos un muerto en vacaciones».

A veces las palabras parecieran quedar rezagadas a la hora de traducir la realidad.

Es lo inconcebible. Lo entiendo como aquello que ni alcanza a ser verbalizado. Aquello que no tiene una expresión en las palabras. Por ejemplo, el dolor absoluto es inexpresable, el amor absoluto también lo es.

Por ejemplo, ¿como cuando se está inmerso en lo que es un verdadero infierno?

Como esa madre que ve a su hijo masacrado o ese padre que le asesinan al hijo ante él. Tal es el dolor que no alcanza siquiera a ser formulado en palabras. No se alcanza siquiera a decir «yo sufro», porque si dices esas dos palabras, si puedes modular las tres sílabas de esa oración: yo-su-fro, al decirlas, por el solo hecho de decirlas, aunque apenas audibles, elegiste estar a este lado del lenguaje, elegiste volver a la vida, al purgatorio de las palabras.

Ese silencio del dolor, que como dices no alcanza a transformarse en palabras, ¿es rescatado por el poeta? ¿Transformándolo? ¿Dándole voz?

El dolor puro no es rescatado por nadie. Está afuera del lenguaje. Es el infierno donde no caben las palabras. Su mudez infinita no tiene redención, es el hoyo negro que chupa todos los significados. Desde el borde de esos hoyos gritamos.

¿Con o sin Dios? Ahí están tus palabras, escritas el año 1982 con humo blanco sobre el cielo del barrio Queens, en Nueva York: «Mi Dios es hambre/ Mi Dios es nieve/ Mi Dios es pampa/ Mi Dios es no/ Mi Dios es desengaño/ Mi Dios es carroña/ Mi Dios es paraíso».

Son sentencias que viven dentro de mí. Ni lo que hago ni lo que escribo son respuestas a nada ni a nadie. Me deslumbra la vida. Desde allí construyo con un apasionado rigor. Ahora, si de mis poemas alguien quiere extraer un juicio o una visión o pensamiento, la verdad es que puede extraer lo que le dé la gana. Yo es otro, decía Rimbaud, y no sé, ignoro quién es aquel que de pronto se pone a teclear por mí y teclea frases que yo mismo no entiendo. Pienso mucho en la religión. Negar su crucialidad, aun en su derrumbe, es cegarse. Incluso si existiese Dios, lo único que podría decir es que es el mismo Dios para todos, para los judíos y para los palestinos. Si hay algo que yo pudiera llamar Dios, es ese hilo infinitamente tenue, infinitamente delgado que cuando todo, absolutamente todo, se ha derrumbado en tu vida hace que no obstante pases de ese instante al siguiente. Estamos sentados en la cuneta de Dios.

¿Has vivido próxima la muerte?

Cuando comenzó la Dictadura yo estaba recién separado. Nada en mí andaba bien. Todo pésimo. Ese hilo era saltar desde un onceavo piso o ahogarme en el mar o pasar al instante siguiente y de ese al instante que sigue y de ese al otro y al otro. Nunca se siente más la fuerza de la vida, del latido de tu corazón, que cuando estás a un tris, a un segundo de cortar con ella. Es lo que llamaría ese hilo infinitamente delgado. Lo que agita tu función en este mundo. Lo que nos tiene vivos. Lo que hace que en ese instante decida no matarme. No hacer una locura. Ese hilo que separa la vida de la muerte.

La droga, ¿cómo la percibes? ¿Es la negación de los sueños?

Es una tragedia, porque suple tu real enfrentamiento con la muerte, la droga esconde los síntomas, como diría un psicoanalista. Y a mí puede aterrarme, pero no me perdería ese trance, esa ocasión máxima de la vida que es morir.

¿Continúa existiendo el sueño en el Partido Comunista? ¿El de la construcción de una sociedad socialista?

Así es. El Partido Comunista ha sido muy castigado, muy golpeado. El sueño de una tierra y de un mundo nuevo supera los estrechos límites de nuestras vidas. Su triunfo depende de la lucha que demos en este mundo concreto por ese nuevo mundo.

¿A qué se debe tu activa presencia en el mundo de los artistas, de los intelectuales?

Es imposible para responder tu pregunta no hablar del discurso nerudiano. Para mí ha sido impresionante. En un momento de la historia, década de los años cincuenta en adelante, cuando intelectuales y artistas son convocados por el Partido Comunista para integrar sus filas, la respuesta no se deja esperar. Está impregnada del discurso nerudiano. Los mejores adhieren a sus filas. Llegan cautivados por su forma de expresarse. Le da expresión al movimiento popular.

Neruda, además del imán de su discurso, era también amante del encuentro, de la celebración. Sara Vial, en su libro Neruda en Valparaíso, *cuenta de la taberna «La Bota», algarabía mayúscula, teatralidad y jolgorio entre el poeta y sus amigos. Me recuerda al mundo ese de las fuentes de soda, que pareciera irse extinguiendo.*

Un mundo que no me es ajeno. Viví en mi juventud en el barrio de República con Blanco. Con presencia de muchas fuentes de soda. Tenían un especial magnetismo, ese del trabajador de la construcción o de la maestranza, y es hilaridad desbordante. Reírte hasta caer muerto, mientras se acumulaban los envases vacíos de Pilsener, que es como se le decía a la cerveza, el famoso metro cuadrado de Pilsener.

¿Qué ha pasado, que ya no las encontramos tan desbordantes como en el pasado?

No con la plenitud de antes. Predomina más una nueva clase de trabajadores. De empleados. Tiempo de colación solo para menú y rápido regresar al computador. No es lo mismo que los tiempos esos de las fuentes de soda. Las características psicológicas han mutado y lo popular se ha transformado en otra cosa. Pier Paolo Pasolini, ese ser trágico que murió asesinado en manos de un puto al que al parecer se había negado a pagarle por sus servicios y que filmó, entre otras, *El evangelio según Juan, Teorema* y *Saló o los 120 días de Sodoma* y que fue uno de los que captó en sus ensayos, en sus poemas, en las películas que te mencionaba, de un modo crudo híper lúcido y ajeno a toda complacencia, esa nostalgia por ese mundo popular que se perdía. Es todo lo contrario de la nostalgia aristo-crática de los norteamericanos T.S. Eliot (que se hizo anglicano y se declaró monárquico), Ezra Pound, Henry James y, por supuesto, aunque francés, Proust. Pasolini apoya las grandes manifestaciones estudiantiles de los sesenta y luego apoya a la policía, puesto que ellos sí provenían del pueblo, a diferencia de los estudiantes que, a fin de cuentas, eran unos petimetres favorecidos por el sistema. Es autor, además, de uno de los poemas cumbres sobre Marilyn Monroe (el otro es «Oración por Marilyn Monroe» de Ernesto Cardenal).

Las ferias en los barrios populares son también una fuente de vida cultural inigualable. Por suerte los supermercados todavía no las han matado.

Es cierto. Las ferias continúan vivas. No solo magia y frescura en sus frutas y verduras, también en ese ir y venir de voces, que parecieran bailar en el espacio, entre feriantes y caseros. Basta ir al terminal de frutas en Mapocho para oír esas voces en plenitud, entre talla y talla. En medio de la Dictadura, recuerdo haber asistido a peleas de box en el Caupolicán. El humor volaba. Disfrutaba riéndome. Rápidas. Insólitas. No sé de dónde salen.

Y si nos vamos hacia atrás en el tiempo, a los años de la Colonia, nos encontramos con el barrio de La Chimba, que en quechua significa «al otro lado del río». Ahí, en el mundo indígena, la creatividad era pan de cada día.

Ahí es donde le gustaba ir a nuestro Diego Portales. A La Chimba. Toda la correspondencia de Portales es increíble.

A propósito de cultura, no hemos hablado acerca de lo que para la cultura significaron los años de la Dictadura. Te quería preguntar sobre una palabra que, en mi opinión, encierra lo que se vivió durante ese período. La palabra «nocturno». Cielo que va oscureciéndose hasta cubrirlo todo. De pronto transitamos hacia la democracia. Se camina por las calles sin temor a ser detenido. No hay toque de queda. Pero lo nocturno como relación humana continúa infiltrando individualismo, egoísmo, competencia descarnada entre unos y otros.

Terminé hace poco un libro que se trata de eso. Lo terminé recién. Me demoré siete años en escribirlo, pero sin embargo es un libro breve. Todo lo que estás diciendo es el mundo de la noche, de la noche literal de un país en dictadura. Creo que todo ese tiempo está retratado allí, y si no lo está, es, al menos, un pequeño fresco de lo que podían sentir los seres que la vivían. En la época de los toques de queda, de los verdaderos toques de queda.

¿Como cuáles?

Recuerdo una experiencia aterrorizante. Atravesé una noche de toque de queda en Valparaíso. Pleno 1973. A minutos de iniciarse me abandonaron los captores. Tenía terror. Recién me habían soltado después de varias semanas privado de libertad dentro de un barco en la bahía de Valparaíso. Sentía que si me tomaban de nuevo me matarían. Me metí por unos callejones en un cerro. Escuché cómo pasaba un auto rajado. Una cortina que se cerraba. Y luego silencio. Aún viven en mí esas experiencias nocturnas. Verdaderas pesadillas.

Es que en la noche está esa presencia tenebrosa que es el miedo. Visible e invisible.

Miedo que es pánico. José Donoso, en su libro *El obsceno pájaro de la noche*, pese a que está ambientado en el campo, intuyó esa cosa. Esa oscuridad está ahí. Donoso fue un gran adelantado, la suya fue una profecía que, como todas las profecías, solo se entienden cuando se cumplen.

Raúl, a propósito de la oscuridad, hay un personaje mítico, el Imbunche. Donoso, en el libro que citas, lo personifica en el mudito, dando vida a ese Chile desconcertante y horroroso, a la forma de vivir y morir de los chilenos.

Efectivamente, el imbunchismo. Ese libro de Donoso es algo que sobrepasa la alegoría para ser un retrato en el que finalmente nos reconoceríamos. Literariamente es la cumbre máxima del criollismo, allí se cierra una época para mostrarnos su reverso ensangrentado: la Dictadura. Eso le permitió a Donoso meterse con la alegoría, la gran novela alegórica es *Casas de campo*. La genialidad es que para construirla tuvo que escribir primero *El obsceno pájaro de la noche*. La deuda con Donoso es enorme.

¿Ese desconcertante y horroroso Chile de Donoso se muestra en toda su crueldad en los detenidos desaparecidos que enlutan la dignidad de Chile?

Es impresionante constatar cómo ciertas cosas dichas desde el inconsciente se cumplen. Como en Donoso, se cumplen, tan simple como eso. Tengo un libro que se llama *INRI* en que nadie ve. Ningún personaje ve. Solo se oyen voces. Me acordé que Joaquín Lagos, el general que desobedeció a Pinochet, contó que a los detenidos, antes de matarlos, les arrancaban los ojos con los corvos.

Las profecías, lo que se dice que ocurrirá, ¿las hay?

Las profecías son raras porque solo lo son cuando se cumplen. Por ejemplo, si el año 2000 se hubiera leído a los jóvenes poetas chilenos nada de lo que ha ocurrido y está ocurriendo nos habría sorprendido. Allí estaba todo. Todo. El derrumbe de la Iglesia, las luchas de las diversidades sexuales, las barras bravas, el narco, la violencia, la furia, el Estallido social, todo. La poesía es la Casandra de nuestro tiempo, ella lo sabe todo del pasado, del presente y del futuro, pero, al igual que la hechicera griega, está condenada a que nadie la escuche.

No puedo dejar de preguntarte por esa generación a la que perteneciste, la de los años sesenta, que puso el arte al servicio de los derechos humanos. Tras el Golpe, ¿hubo algún reconocimiento?

Bueno, a algunos los nombraron Agregados Culturales. Entre otros, a mí, Marco Antonio de la Parra, Diamela Eltit, Julio Jung.

¿Qué significó para ti?

Fue tan inesperado. La lucha contra la Dictadura era parte de nuestras vidas, y una parte crucial. Independientemente de la desilusión creciente que fui sintiendo después por el Chile que estaba emergiendo y que con los años terminó por hacérseme insoportable, yo estaba y me sentí feliz cuando me dieron el honor de representar culturalmente a Chile en Italia. Había muchísimo entusiasmo. Había ganado el No. Le habíamos dado una perdonada a Aylwin por su pasado. En esos momentos sentíamos que la Concertación era una Concertación muy distinta a la que se mostraría poco después.

De esos años de ruptura, de quiebres del país, ¿hay alguna voz disruptiva que recuerdes de ese período?

Sí, la de un poeta. José Ángel Cuevas. Su poesía es única. Habla desde el rencor, del resentimiento y de la nostalgia. Para él todo murió con la caída de la Unidad Popular. Cuando se derrumbó eso, se derrumba todo. La poesía de Cuevas es un recordatorio, un recordatorio permanente.

En los otros nos reconocemos como personas. Mirarnos en Chile, en lo que vive. En lo que se ha vivido.

Es que ese es el ineludible camino de acceso a la identidad. Salimos para mirar en el otro nuestros propios rasgos. Es fascinante. Uno carga con su propia noche permanente. Nuestra cara es nuestra noche. Se la ha visto en el espejo probablemente. Pero tú no puedes mirarte. Esta noche que andas trayendo… Nos levantamos, salimos a las calles, andamos por las plazas, te subes al metro nada más que para encontrar en el otro tus propios rasgos. Me alucina esa relación en que me estás viendo. Pero ¿qué me estás viendo? Porque no la conozco. A lo mejor estás viendo un cerro, una montaña. Nadie ha visto directamente su propia cara.

Segunda parte

Por los caminos de la dignidad

Mi Dios es Paraíso, que corresponde a una de las 15 frases del poema trazado sobre el cielo de Nueva York el 2 de junio de 1982. Foto: Ana María López.

EL SISMO DEL ESTALLIDO SOCIAL

La dignidad es una fuerza moral, ética. De valores superiores. Mueve a las sociedades. El Estallido social del 18 de octubre de 2019 es un grito de hastío. De repulsión ante los abusos a la dignidad de los chilenos. ¿Cuál es tu mirada?

La palabra dignidad plantea algo que no estaba puesto con esa nitidez que lo sintetiza todo. Es el corazón de las movilizaciones. Va mucho más allá de lo que se agota en lo reivindicativo. Es bello y fuerte.

¿Qué sería lo nuevo?

La dignidad se construye desde la mirada del otro. La pregunta que surge es: ¿cómo esa mirada puede ser de superioridad, despectiva, de derrumbarlo todo?

¿Ha existido «indiferencia» en la mirada de algunos chilenos hacia otros?

Eso ocurre cuando tú no miras cómo soy, cómo pienso. En eso radica la base de la dignidad. En la igualdad de la mirada del uno frente a la del otro. La ruptura de ese equilibrio es el origen de toda violencia.

¿Es el caso de nuestra historia?

Pienso que la historia que hemos construido está llena de indignidades. Como que seres humanos no tengan qué comer. Nadie pidió nacer. Pero todos tienen derecho a las necesidades básicas. A ser mirados con simpatía y altura. En el momento del Estallido, el menoscabo se ve en las AFP, en la educación, en la salud para los ricos y no para los pobres. Es monstruoso. No creo que exista mejor definición de estas sociedades que esa, son sociedades que han creado un orden monstruoso.

¿Mirada de superioridad de nuestra elite? ¿Explica nuestro devenir?

Se ha mostrado a Chile como los ingleses de nuestro continente. Y lo curioso es que es verdad, somos un país tremendamente racista, tal como lo fue el Imperio británico. Hay que pensar que toda la llamada aristocracia nace de una usurpación. De una violencia. Ahí está toda esa leyenda de los linajes. Siempre que hay un linaje hay una usurpación. Hay un robo.

¿Linajes que se traducen en urdiembre de apellidos?

Cuando se desata toda una cadena de cosas, al final aparecen los apellidos. ¿Qué son los apellidos? Son conquistadores. Usurpadores. Apropiándose de cosas de otros, violentándolos, sometiéndolos. Se remonta a las raíces mismas de la historia. Como que la historia que nos contamos es la historia de distintos linajes.

El prejuicio de la sangre, del color de la piel, ¿alimenta esa mirada de superioridad?

La mirada despreciativa de un país mestizo hacia otros mestizos es cruel, ridícula, absolutamente inoperante. Más aún. El que ejerce una superioridad en función de la sangre está pudriendo su propia sangre.

El 73 fuiste detenido, pateado, arrojado en el fondo de un barco en la bahía de Valparaíso. ¿Cómo has cargado con esa manera en que fue violentada tu dignidad?

Estas palabras, indigno, indignación, son palabras que en castellano están etimológicamente pegadas. Pienso que esa experiencia que viví fue nada comparada con lo que le ha pasado a tanta gente. Pero no me sentí indigno. Pude haberme sentido derrotado. Pero no indigno.

¿La indignidad no es acaso obra de quien humilla?

Es que mi dignidad no puede depender del juicio de los demás. Pero si no se te reconoce, si no se reconoce la visión que tienes de ti, de todo lo que eres por el solo hecho de haber nacido y eres tratado como un ser indigno, eso va a producir indignación. Y esa indignación va a crecer y crecer. Termina con millones de personas en la calle. Es lo que ha ocurrido en el Estallido social.

¿Se traspasan las injusticias diarias, las que se viven en la cotidianeidad?

Ahí está la dictadura de Pinochet. Cuando hablaba todo en «mí». Por ejemplo: ¡cuánto «me» cuesta un jubilado!, y cosas así... Todos empiezan a hablar en «mí». Como si las cosas fueran de ellos. Pinochet era típico de eso. Pero como dijo una vez Armando Uribe: ¿Qué elite? ¡Arribistas de mierda querrás decir!

¿La violencia también?

Se traspasa. Un ser que se cree superior traspasa esa mirada suya, cargada de menosprecio, al otro, a sus ritmos, a sus modales. Traduciendo desprecio. Y por parte de ese otro, que se siente mirado de esa manera, en algún momento puede producirse sumisión pasiva, de estar totalmente aplastado.

Las historias de aplastamientos son carne viva en la historia.

Tenemos tantas historias de aplastamientos. De quienes se sienten superiores sobre otros. Como fueron Hitler y Stalin con sus matanzas y purgas. Seres que sienten el poder sobre la vida de otros, porque los otros no valen nada. Los otros son indignos de la vida.

Entonces ¿esa cultura del aplastamiento violenta principios esenciales de la dignidad de todo ser humano?

Es que en el momento en que naces eres digno de la vida. Es un derecho inalienable. Por el solo hecho de haber nacido. Cuando la dignidad es socavada en miles de planos, desde lo subjetivo (como es el desprecio en la mirada), hasta lo objetivo (como esos sistemas de salud para unos pocos), lo que sobreviene, en reacción a su no reconocimiento, te aseguro que será una revolución y que va a ser tremenda.

¿Revolución que piensas está en un proceso de germinación?

Es lo que creo que está ocurriendo en Chile ahora. Y no es que me lo tema. Es que si no se escucha el clamor de esta gente lo que viene de vuelta es con todo. Por eso la Asamblea Constituyente es una gran esperanza de paz. Juegan con algo muchísimo peor que el fuego quienes la intentan socavar.

En un proceso de pandemia, además, las indignidades asoman con mayor virulencia en el cuerpo de Chile.

Estamos en pandemia. Hay una gran efervescencia social, un clima muy violento. Si los gobernantes no responden en este minuto a las necesidades básicas de su población, de su propio país, creo que la violencia del Estallido va a ser como juego de niños frente a lo que pueda ocurrir en esta segunda vuelta de descontento social. Como que hubo ya una gran advertencia. Y la violencia es la violencia. Ya no reconoce fronteras.

Naufragio de discursos

El padre Alberto Hurtado escribió el libro ¿Es Chile un país católico? Allí describe la contradicción de un país que se declara mayoritariamente católico y en donde, sin embargo, pampea la pobreza y la indignidad. ¿Qué piensas, Raúl?

Estamos en un momento en que los grandes referentes y discursos del pasado se están derrumbando. Uno de los más grandes es el derrumbe de la Iglesia católica. Tengo un recuerdo que me impactó: yo viví un año en Pavía, una ciudad de 80 mil habitantes, cerca de Milán, y que tiene una catedral imponente. Una tarde, esquivando el calor, entré. En una de las naves laterales estaban haciendo una misa y me acerqué. Fue un golpe. No eran más de diez personas, todas muy ancianas, algunas arrodilladas, mientras el cura, entre ellos, oficiaba misa. Sentí los últimos vestigios de un fin y, a la vez, que sus espaldas débiles, encorvadas, sostenían algo inquebrantable que emergería de entre las ruinas. En esa misa, con esos diez viejos, se estaba sosteniendo la enloquecedora posibilidad de un sueño nuevo, por ahora impensable.

¿Un discurso con un Dios más empático, más cercano?

No creo en Dios pero sí en sus efectos. En los grandes textos testamentarios. En el Libro de Job, por ejemplo, o en los profetas: Isaías, Ezequiel, Oseas. Textos antiquísimos que, a pesar de las múltiples traducciones, conservan esa pureza del paso del lenguaje oral al escrito. Sucede lo mismo con libros de derivas tan diversas como el Baghavadad Ghita o el Mahabharatha del hinduismo. Es como si sus lenguajes se aferraran a las cosas, como Dios cuando le responde a Job: «¿Y dónde estabas tú cuando yo levanté los cimientos de la Tierra y las infinidades de estrellas matutinas se despertaron cantando al unísono?».

¿Y qué ocurrió? ¿La palabra dejó de abrazar al mundo?

Se fue perdiendo. A tal grado se fue perdiendo que llegó un momento en que ninguna palabra y ninguna frase nombran lo que hay que nombrar. Es lo que llamo la agonía del lenguaje. Ese es profundamente el lenguaje del capital. Privado de ese radical significado que vive en cada palabra. Horadándole a la palabra «dignidad» esos tan diferentes significados para unos y para otros.

¿Fue la palabra, en algún momento, fuente de entendimiento?

Es interesante retrotraerse a la Torre de Babel. Cuando, a raíz de la soberbia existente entre los hombres, Dios crea las lenguas. Al ser distintas, dejaban los hombres de entenderse. Ahora, lo que se vive es la Torre de Babel pero al revés. Todas las palabras son iguales pero los significados son todos distintos. No nos entendemos con los mismos signos porque sus significados son diferentes. Antes no nos entendíamos porque las lenguas eran distintas. Ahora las palabras son mucho más homogéneas, pero con significados distintos según quiénes las usan y, sobre todo, con qué fines las usan.

La pureza de las palabras del Evangelio, con las múltiples interpretaciones que se les dan, ¿no son un ejemplo de esa pérdida de significado?

Ahí está Dostoievski, en *Los Hermanos Karamazov,* cuando el Gran Inquisidor hace crucificar de nuevo a Cristo. Eso ya venía desde hace mucho tiempo.

¿Aplica lo que dices a la elite de Chile?

Absolutamente. No es sorpresa. Se dirán muy católicos. Pero actúan radicalmente en contra de lo que ellos mismos dicen apoyar. Porque principalmente son ciegos respecto de ellos mismos.

¿Los evangélicos cantando en las esquinas, Biblia en mano y con guitarras, proclamando la palabra de Dios, no son la contracara de esa elite?

Cuidado con los cánticos y proclamas, pueden también ser extremadamente crueles, extremadamente reaccionarias. Cuando hay apego textual a la letra, con términos reiterativos, sin considerar la historia. Cosas que alejan del contexto y pueden producir monstruos.

Pero, como dice el dicho popular: «¡La fe mueve montañas!».

Es que en la fe religiosa hay algo que es a la vez sublime y tenebroso, maravilloso y de horror. Sublime, porque con la fe te conectas con el universo; tu vida tiene un sentido. De horror, porque esa conexión es tan absoluta que todo lo demás, lo que queda fuera de la fe, pasa a ser un enemigo, el demonio. El demonio es la mentira. Y hay que combatirla. ¿Cómo? Matándola.

¿La verdad siempre le sale al paso a la mentira?

No hay mentira más peligrosa que la verdad. Por la verdad matas y eres muerto. Si te rebelas contra la palabra de Dios, representas al demonio. Te rebelas contra lo que la Biblia o la Torah o el Corán afirma o dice como libro sagrado. La Biblia es el libro de Dios. Tienes, por tanto, radicalmente que actuar en consonancia con la letra de ese libro. De no hacerlo, mientes y la mentira es que no dices la verdad. El mentiroso por excelencia es el demonio. Por lo tanto, tengo todo el derecho a aniquilarte. La poesía es siempre la gran disidencia, porque es anterior a la verdad. En el comienzo de la *Teogonía*, Hesíodo, un poeta del tiempo de Homero, cuenta que se encontraba pastando a sus rebaños cuando se le aparecieron las musas, quienes lo increparon duramente diciéndole algo así: «Rústicos pastores, ustedes que son solo vientres, nosotras podemos decir muchas mentiras con apariencia de verdad y también decir la verdad cuando nos plazca». Entonces comenzarán a dictarle el poema y el poeta nunca sabrá si lo que le dictan las musas es verdad o es mentira. Es la radical diferencia de la poesía con los libros dictados por Dios. Tú nunca podrás tocarle una uña a alguien en nombre de la poesía.

Eso fue la Inquisición en España. La aniquilación de los pecadores. Salvador de Madariaga, en su libro España, *dice que los dos grandes pilares de la construcción de España fueron, por una parte, la Iglesia católica, y por la otra, su universalización, de lo cual Iberoamérica sería una expresión. ¿Piensas que, con diferentes lenguajes y expresiones, la cultura de la Inquisición está rebrotando en América Latina y en España?*

Sí. Toda época, más que en sus hechos y en sus logros, descansa en lo inconcebible, no en lo que ignoramos, sino en aquello frente a lo cual no existe la pregunta. Lo no dicho no es algo que le pertenezca a la voluntad del autor, o que conscientemente se omita para no ser castigado por la censura; por ejemplo, como cuando en *Anteparaíso*, para no decir «las cordilleras de Pinochet» digo «las cordilleras del Duce». No, es algo mucho más radical, el poeta no sabe lo que no dice y, sin embargo, lo no dicho, como la inexistencia de Dios, es la base de todo lo que alcanzamos a decir.

Una elite en soledad

Hay una palabra que quizás aplica a Chile: la palabra «invertebrada». Ortega y Gasset, en su libro España invertebrada, *la emplea para significar a su país.*

No. Chile es monstruosamente vertebrado. Es fácil identificar dónde está el poder. Los dueños de las mineras son los mismos dueños de los campos de la zona central y de las madereras en el sur. No sucede eso, por ejemplo, en Perú y Ecuador, donde los condicionamientos geográficos son mucho más determinantes. Están divididos entre los costeños, los de la selva y los de la sierra, que son tres estructuras paralelas. Por lo que, a diferencia de Chile, a ellos les es mucho más difícil construir partidos supraterritoriales.

Y en esto de estigmatizar entre los buenos y los malos, entre los amigos y los enemigos de la democracia. En esto de hablar de la política como sinónimo de corrupción, ¿no está el preámbulo de su propia destrucción?

Así es. Por eso, de pronto, tipos como Kast pueden ser tan peligrosos. El nacionalismo monstruoso del fascismo está a la vuelta de la esquina. ¿La razón? Justamente porque Chile es un país vertebrado.

¿Vertebrado y con concentración del poder?

Es que la mayoría, sin ninguna dificultad, podemos distinguirnos de esa pequeña casta de los grandes ricos.

Entonces, estaría, por un lado, una elite vertebrada concentrando el poder y, por el otro, una mayoría social que no la reconoce como eje vertebrador del país. Pero ¿qué pasa con la izquierda? Con su discurso y su propuesta...

Para responder a eso hay que volver un poco atrás. Recordar, por ejemplo, lo que significó la incorporación de Pablo Neruda a un movimiento popular en ascenso que, en medio de sus derrotas, retrocesos y muertos, fue ganando a la inmensa mayoría de los intelectuales, escritores y artistas, de modo que, cuando Salvador Allende triunfa en las elecciones de 1970, es un lenguaje el que triunfa. Desde allí hay que mirar el aporte de Neruda. Él es quien le dará un lenguaje a ese movimiento al punto que el triunfo de la Unidad Popular es el triunfo de la poesía nerudiana. Neruda le otorgó un relato y una épica al movimiento popular. Es el *Canto General* el que avanza con las masas que avanzan. El desgarrador y maravillo discurso final que Allende pronuncia minutos antes de morir es infinito, no termina nunca, y esa frase «más pronto que tarde se abrirán las anchas alamedas» siguió resonando en la noche chilena del fascismo y por eso el triunfo de la Dictadura no fue completo. Porque fue escrito el *Canto General* pudimos, aunque con los ojos muy llorosos, cruzar la muerte general y volver a la vida.

El lenguaje de la naturaleza es avasallador, no admite dobles lecturas. Es un lenguaje que, a la hora de plasmarse en escritura, hace de quien lo interpreta y resignifica un artífice de esa pasión que es la literatura, hija de la vida. Ese es un gran compromiso. Autores como el guatemalteco Miguel Ángel Asturias y el peruano José María Arguedas son dos claros ejemplos de ese gran compromiso. ¿Crees tú en esa literatura comprometida con la naturaleza, con la vida y, a la vez, con el lenguaje revolucionario?

Todo gran autor o autora dibuja una relación con lo real y Arguedas lo hace, pero Arguedas antes que nada es un lenguaje, un tono, una materialidad sonora que sobrepasa los marcos del realismo. *El señor presidente* es eso y su sonoridad es revolucionaria. Solo por eso podemos hablar de literatura comprometida. Sin un lenguaje revolucionario no hay literatura revolucionaria. Sin embargo, descreo de toda literatura que pretenda que su dominio se deba dar solamente en la literatura. La tensión no está en la escritura con la escritura sino en la escritura con la vida. Un libro que se agota solo en la literatura inevitablemente será un libro secuestrado. No se trata de revoluciones de café donde lo común son los predicados tipo: «el único compromiso de una escritora o escritor es con la literatura». Es tan raso, tan poca cosa. Ezra Pound al escribir apostó por la vida y despertó en una jaula que los norteamericanos, al entrar a Italia, tenían reservada para Hitler. Pero pese a su terrible equivocación, revolucionó todo lo que podíamos entender por poesía.

¿El lenguaje nerudiano en relación con Allende dio, a tu juicio, unidad a la izquierda política chilena?

Significó la adquisición de un lenguaje. Cuando gana Allende triunfa también el lenguaje nerudiano. Marcó profundamente. Trajo una retórica, un discurso, una manera de hablar, de sentir. No solo en los discursos de Allende. También en los de Frei. Son todos nerudianos. Incluso fue más allá, impregnó ese contra lenguaje de la elite política adversaria en el Golpe Militar.

¿La izquierda no ha renovado ese lenguaje, ese discurso?

La izquierda no ha estado a la altura. Los partidos políticos no han sido capaces de leer lo que significa ese lenguaje. De la importancia de renovarlo. Y, de no hacerlo, el riesgo de transformarlo en una entelequia.

¿Lo mismo que quedarse empantanado en el concepto de clase trabajadora de hace cincuenta años atrás?

Hay que leer algunas cosas de los ideólogos de la derecha. Es cierto que el concepto de clase trabajadora se ha modificado. Negarlo es cerrar los ojos. Las raíces pueden ser las mismas, claro: la explotación del hombre por el hombre. Pero sus formas se han modificado. No es lo mismo un obrero que trabaja en una empresa textil que un empleado que trabaja en un banco con una computadora al frente.

La realidad muestra que ha existido una evolución. Además, está el concepto del advenimiento de las llamadas clases medias.

A propósito de las clases medias es necesario un tremendo esfuerzo de innovación. Hacer muchos ajustes. Significa dar cuenta de esa profunda unidad que, finalmente, hay entre todos los trabajadores de la Tierra. De no hacerse es difícil que se pueda llegar con fuerza a la gente. Porque es evidente que un empleado que trabaja en una fábrica de software no va a sentirse interpretado de la misma forma que el trabajador que trabaja en una fábrica de chocolates. Se sienten distintos. Sin embargo, el fenómeno que está detrás, las injusticias y las segregaciones, son las mismas.

Un gran desafío, en consecuencia, para los partidos de izquierda.

Sí, si no renuevan su lenguaje, el lenguaje se transforma en entelequia.

Hay otro lenguaje, el del mundo demócrata cristiano en la década de los años sesenta. Fue un discurso muy poderoso. ¿Qué piensas?

Claro. Se origina en las raíces de la Democracia Cristiana. Surge como una alternativa popular al marxismo. Ahí está el comunitarismo de Mounier. Y la cosmogonía de Teilhard de Chardin. Su concepto fundamental era el concepto de «revolución en libertad». Implicaba todo.

¿Disputaban los demócrata cristianos con el marxismo su discurso revolucionario?

Cuando la Democracia Cristiana sale con la «revolución en libertad» se produce un fenómeno muy increíble. La gente pierde el miedo a la palabra revolución. Antes inspiraba terror en grandes sectores de la población chilena. Terror. Se decía: ¡Señora, van a llegar los comunistas! La Democracia Cristiana introduce el concepto de una revolución, pero en libertad. Libera la palabra «revolución» de su carácter catastrófico. En gran medida posibilita la victoria de Allende.

¿La palabra revolución se ha desnaturalizado?

De repente uno sigue el curso de las palabras. A través de la palabra «revolución» puede seguirse el curso del mundo. Porque refleja tan bien todo lo que se ha hecho. La responsabilidad de la clase política, de los partidos. A propósito, me acordé de un dicho popular que me daba mucha risa... El lema de los socialistas era «avanzar sin transar» y se decía que, en los tiempos de la Concertación, se había pasado del «avanzar sin transar» al «transar sin avanzar». Es de una precisión impresionante.

¿Hay lenguajes políticos irresponsables?

La incapacidad de renovar. Viene aparejada con una serie de modernizaciones completamente desafortunadas. Como la voluntariedad del voto. Va más allá de la libertad individual. En países que están en el inicio de la construcción de su historia, como los nuestros, la obligación del voto traduce un compromiso, una obligación.

Otro ejemplo es el de la Asamblea Paritaria entre hombre y mujer.

Efectivamente, porque la presencia de la mujer tiene que ser paritaria con la del hombre, con su derecho igualitario al hombre.

¿Algún ejemplo de nuestro mundo político?

Hay una enorme responsabilidad cuando se esgrime un lenguaje que no refleja el mundo. Ni siquiera las ideas de quien lo está esgrimiendo. Reunión en el Gobierno de Lagos cuando el ministro Francisco Vidal dice: «¡Se acabó la palabra pueblo! ¡Todos somos ciudadanos!». Imagínate, se cancela todo lo que puede decir un pueblo: sus sueños, sus esperanzas, esa dimensión histórica y colectiva. Se pierden las grandes dimensiones.

Volviendo al valor de la poesía, ¿no te parece que, a través de la palabra, la poesía permite vivir el mundo?

Es que la poesía es un lenguaje humano, no el de Dios.

Es insoslayable la relación entre la juventud y su dimensión poética. Aquello de vivir el mundo con nuevos paradigmas, con nuevos conceptos. Es de dimensión global.

La juventud es una edad increíble, alucinante, pero a la vez no hay nada más egoísta que un joven. Es impresionante. Jamás un joven piensa en la vejez. Sucede a los otros. A él no. Ni piensa que podría ocurrir. El joven no solamente es joven, es eternamente joven. La concepción que tienen de sí es el de la eterna juventud.

Con formas de vivir la libertad colindante, muchas veces, con compromisos a ultranza.

Hay un ejemplo que colinda con lo chistoso. En las estaciones del metro, los estudiantes dan inicio al Estallido social. Protestan por el valor del pasaje. Se saltan los torniquetes. El ministro

Rodrigo Pérez vocifera: «¡Cabros, esto no prendió!». Sin embargo, los santiaguinos se movilizan, un millón y medio de personas en las calles. Entre la muchedumbre aparece un cartel. Dice: «¡Papá! ¡Sí prendió!». Quien portaba el cartel era la hija del ministro.

El fascismo es un paradigma de radicalización.

Con todo el peligro que conlleva. Porque tiene también un discurso. Puede ser muy atractivo para mucha gente. Como quedó demostrado con Trump. Para combatirlo hay que considerar todos los puntos de vista. Con la única limitación de no hacerles jamás a ellos lo que ellos no dudarían en hacernos a nosotros.

¿Influyen las carencias existentes hoy en día en la educación?

Con todas sus imperfecciones, la educación en Chile era más igualitaria. Los liceos eran mejores que los colegios particulares. Es cierto que en los liceos públicos gratuitos, pese a que atendían a una masa de estudiantes más restringida, la educación no presentaba una diferencia tan abismal en su acceso como en el presente.

¿Síntoma inequívoco de la agudización de la indignidad?

Hay un atraso general. Es necesario construir a partir de otras bases educativas. Es que no estamos creando a nadie. Es una sociedad y un país que no está acogiendo a nadie, que a todos, salvo a los que tienen el poder, les da vuelta la espalda. Se produce un sentido de clase en su expresión más clásica.

¿Hacia dónde estamos caminando?

Estamos entrando en un período que es un caos. Un desierto. Y los próximos pueden ser feroces, de confrontaciones feroces. Que eso sea así o no es algo que se está jugando ahora, en este minuto, en este segundo.

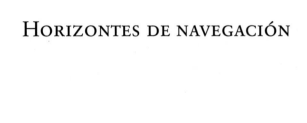

HORIZONTES DE NAVEGACIÓN

¿Estamos inmersos en un tiempo en que prima el caos?
¿Saldremos adelante con una Nueva Constitución?

El caos se genera cuando no hay ninguna capacidad de mirarse. Inclusive la derecha, la oligarquía… Deberían ver que aumentar algunos impuestos no es solo un impuesto, es una forma de acercamiento. No lo ven. No están dispuestos a entregar nada. El conflicto en consecuencia no se resuelve. Las masas continúan desposeídas.

Podría no terminarse nunca de hablar de tantos y tantos desafíos que deberán enfrentar nuestros jóvenes para construir un mejor país.

Ellos tienen una voz importantísima. Enfrentan realidades como el narco, la delincuencia, el conflicto mapuche. Una lista interminable de desafíos. Siempre me he llevado muy bien con ellos. Ahora, en los cursos que doy en la Universidad Diego Portales. Creo que es un sentimiento mutuo.

Detengámonos brevemente en el tema mapuche.

Claro.

¿Ese es el sur real, el que no se quiere admitir?

Es que por parte de las oligarquías madereras no se reconoce la dimensión de lo que allí ocurre, lo que sucede diariamente. Hay una indiferencia general. Impresiona. Es un conflicto que lo atraviesa casi todo. Está en el centro de la vitalidad del país. La famosa pacificación del sur fue una cosa monstruosa, sanguinaria.

¿El mundo mapuche tiene la palabra?

Ha existido una guerra de usurpación, una guerra de masacre. Una historia presente en que esas tierras eran suyas y de pronto son de las madereras.

¿Tiene un componente moral?

Debería resolverse desde un punto de vista moral. Y no creo que estemos en una época en que la moral tenga mucha fuerza. Ese es el problema; que la moral, como categoría, pueda ejercer un poder sobre algo. Sin embargo, el discurso no puede ser solo moral. Deben ser devueltas las tierras.

Súmale a lo anterior, en distancia de comunicación, el desconocimiento que existe en la población chilena de la lengua mapudungun. ¿La conoces?

No en su estructura y conceptos. Pese a haber vivido un año y medio en Temuco.

Lenguaje riquísimo en comunicación con el mundo, con la vida, la muerte, sus dioses, con la naturaleza.

Pienso que cada pueblo tiene el lenguaje que necesita. El mapudungun, como otras lenguas, son respuestas a sus mundos. Tienen el lenguaje que ellos necesitan. Mundos que necesitan de ese lenguaje para ser representados. Por ejemplo, los lapones, en Alaska, tienen ciento cincuenta formas de nombrar la palabra blanco. Claro, si hay pura nieve. Y los indios yanomami, en la selva brasilera, tienen ciento cincuenta palabras para decir verde. Nosotros decimos verde no más. Los vemos como lenguajes simbólicos, sagrados, mágicos. Pero en realidad es el lenguaje que está dando respuestas a sus necesidades como pueblo. Permite dialogar con los objetos, los paisajes, con las cosas.

Eso nos lleva a otro ángulo, ese de la mutación de los lenguajes, que viven en una constante traducción, en una constante mutación.

Por supuesto que cuando describimos algo que es ajeno no podemos evitar lo inevitable: buscar las categorías para describirlo. El mapudungun puede ser tan concreto como para nosotros el castellano que estamos hablando. Tiene una cosmovisión maravillosa, propia, tremendamente poética, de una belleza que jamás descansa.

La poesía mapuche ha tenido una importante gravitación en los últimos años. ¿Has tenido relación con sus poetas?

Una fecunda relación. Para mí muy importante. Con Elicura Chihuailaf, Leonel Lienlaf, Segundo Aillapan, Roxana Miranda Rupailaf, Jaime Luis Huenún, entre muchos otros. Cuando viví en Temuco lo primero que hice fue juntarme con ellos. Los hombres de la tierra, ellos sueñan sueños infinitos y ven los espíritus de sus antepasados en las estrellas de la noche. De pronto he llegado a pensar que nuestras vidas no son sino los sueños que sueña la tierra.

Discurso de Raúl Zurita en la entrega del Premio Reina Sofía de Poesía 2020

Majestad, señora presidenta de Patrimonio Nacional, señor rector de la Universidad de Salamanca, señor secretario del Jurado, señor ministro de Cultura y Deporte, autoridades, señoras y señores:

> Eres la noche, esposa: la noche en el instante
> mayor de su potencia lunar y femenina.
> Eres la medianoche: la sombra culminante
> donde culmina el sueño, donde el amor culmina.

He venido repitiendo esas líneas casi como un mantra, como un pulso que me late tras la sien sin dejarme. Es el comienzo de «Hijo de la luz y de la sombra» de Miguel Hernández, uno de los más grandes poemas escritos en castellano, y he querido recordarlo aquí como un testimonio ante ustedes y ante todos los poetas de España y Portugal, de mi admiración, de mi gratitud y de mi reconocimiento. Hoy, en el Día internacional contra la violencia de género, vengo a agradecer profundamente la enorme distinción que me han conferido al otorgarme este premio, que lleva el nombre de su majestad, y expresar asimismo mi gratitud a la Universidad de Salamanca y a Patrimonio Nacional. Es un alto honor que entiendo como un homenaje al gran río de la poesía del cual todos no somos sino pequeños eslabones. Recibo entonces este premio con alegría, orgullo y, al mismo tiempo, con pudor y vergüenza. Es demasiado todo lo que no hemos hecho, todo lo que no estamos alcanzando a hacer, todo lo que debimos entregar y que tal vez ya no entreguemos.

Vengo de un país de desaparecidos que hoy se ha volcado fervorosamente a las calles en su lucha por recobrar su dignidad y la poesía es parte de esa lucha. No se devolvieron los cuerpos, es decir, no se le devolvió a la esposa el cuerpo de su esposo, no se le devolvió al niño pequeño el cuerpo de su padre, no se le devolvió al anciano el cadáver de su hijo, y fueron los poetas quienes debieron descender a la tibieza de la tierra que acogió esos restos, a las espumas del mar que mecieron esos cuerpos quebrados, a la piel reseca del desierto que preservó esos torsos rotos, y restaurar las palabras que ellos no alcanzaron a decirnos ni a decirse. Le correspondió a la poesía cumplir con las exequias de los ausentes, sancionar sus vidas y enterrar en las tumbas del lenguaje lo que los vivos debían haber enterrado en las tumbas de sus muertos.

No se me escapa el terrible momento que el mundo está atravesando, por lo que les agradezco doblemente el que se haya realizado esta ceremonia de cuerpo presente. Son, lo sabemos, centenares de miles de muertos, más la secuela de miseria, injusticias e inequidades monstruosas que la pandemia ha revelado en toda su pavorosa evidencia. Asomándonos desde los bordes de la vida, desde su tumefacción y heridas, hemos muerto en cada cuerpo que muere, hemos enmudecido en cada uno de estos finales silenciosos, sin abrazos, sin ilusiones, y en lo más oscuro del dolor y de la pérdida, con los ojos llorosos, hemos entrevisto también la trama de un amor incancelable instalado en el corazón mismo de la tierra. De esta tierra que a pesar de todo nos ama.

Lloramos, nacemos, caemos en batallas que no eran nuestras, miramos los deslindes cada vez más nítidos de las capitales del dolor, como las llamó Paul Eluard, y entendemos que si el amor culmina es porque nos fue dada esa piedad por cada detalle del mundo, por esa hoja que cae y por esa hoja que brota, por el olor que deja la lluvia en los árboles, por ese ser que nace abrazado a la cruz de su cuerpo, que es el mismo cuerpo en el que morirá crucificado.

En un mundo de víctimas y victimarios, la poesía es siempre la primera víctima, pero es también la primera que se levanta desde su propia muerte para decirnos a los sobrevivientes que, no obstante todo, vendrán nuevos días. He intentado describir esos nuevos días y esa es quizás la única razón por la que estoy aquí. He imaginado largas sagas alucinantes, poemas interminables que se me borraban como polvo en los dedos en el momento de escribirlos; he visto el

Pacífico suspendido sobre las cumbres de los Andes y cuadrillas de aviones dibujando con líneas de humo en el cielo el rostro de mi madre Ana Canessa, que a los 96 años sigue escuchándome. He recordado la cara de alguien que no puedo recordar: la de mi padre muerto a los 31 sosteniéndome un segundo más entre sus brazos. He entrevisto desiertos enteros escritos y países hechos de amor y de muerte donde me encuentro con quienes amé y que tal vez me amaron, antes de esfumarse en sueños incomprensibles. Me he roto, he intentado cegarme tal vez porque creí que así podría fundirme con mi país desollado y retener por más tiempo las manos del amor desaparecido entre las mías, pero mi amor no ha sido suficiente. Me he entregado, allí están mis libros con mis afectos y desafectos, pero mi entrega no fue bastante y no sé si alcanzaré a soñar las imágenes y las palabras finales que todo poeta le debe al mundo.

Acosados por la deriva de una historia de la que todos somos parte y que no ha cesado de exhibir su violencia, su impiedad, su crueldad, su indiferencia: en este minuto hay una balsa con inmigrantes naufragando, en este minuto hay alguien que muere frente a una frontera cerrada, en este minuto, en algún lugar, hay una ciudad que está siendo bombardeada, y entendemos entonces que la tarea no era escribir poemas, ni pintar cuadros, ni componer sinfonías, sino hacer de la vida una obra de arte, el más vasto y hermoso de los cantos, la única gran sinfonía frente a la cual valía la pena luchar y morir. No fue así y ese fracaso lo arrasa todo. No construimos el Paraíso. No hicimos de este mundo un Nuevo Mundo, no fue La Vida Nueva.

Pero es precisamente ese Paraíso, ese Nuevo Mundo, esa Vida Nueva, la razón de ser de todos los poemas, de cada verso, de cada una de sus sílabas y letras. Cada uno es el puerto de llegada de un río inmemorial de difuntos que terminan en nosotros y donde nuestras palabras vivas van recogiendo el coro infinito de las palabras muertas. Puede que no sea más que un desvarío, pero he llegado a creer que la historia de una lengua es la historia de las infinidades de seres que yacen en cada sonido que hablamos, y cuando volvemos a usar esos sonidos, esas pausas, esos acentos, les estamos dando a ese mar antiguo de voces los sonidos de un nuevo día. Hablar es hacer presente a los muertos. Una lengua antes que nada es un acto de amor, ella es el «Amor constante más allá de la muerte» de Francisco de Quevedo, y nos sobrepasa infinitamente porque es la única resurrección que nos muestra el mundo.

Morimos en nuestras lenguas madres y volvemos a nacer en ellas. Esa es la demencial apuesta de la poesía. Ella no puede derribar una dictadura ni curar una pandemia, pero sin la poesía nada es posible porque la esperanza de un nuevo día está inscrita en lo más imperecedero del sueño humano. Vislumbramos entonces los contornos de una solidaridad y justicia también inconmensurables, que pronunciando las palabras que solo nuestros poemas conocían, que solo nuestra sed, que solo nuestra hambre de amor conocían, en las que sucesivas muchedumbres mirarán las imágenes de este tiempo y se preguntarán por esta época bárbara y feroz. Nada quedará allí de nosotros y sin embargo algo de nuestros ojos muertos estará mirando a través de esos ojos vivos. Intuimos así que tal vez la única realidad que existe es aquella que se ve entre las lágrimas: esa iridiscencia del mundo que solo pueden captar los ojos que lloran. Como si nos llamaran desde esa bruma adivinamos los contornos aún borrosos del otro, de su cara cubierta que se acerca como si quisiera besar nuestra cara cubierta solo para confirmarnos que estrechar la vida de otro entre tus brazos y ser estrechado por la vida de otro entre sus brazos contiene lo crucial: el dolor, el fervor y la maravilla a veces desesperada de la existencia.

Hemos arrastrado así mundos tras mundos, pero nuestro amor no ha sido suficiente. Hemos escrito con mis compañeros parte quizás de los más grandes poemas de nuestra generación, pero los grandes poemas solo cuentan si son un pretexto para la bondad, porque solo desde esa bondad la poesía estará cumpliendo con el único papel que le da sentido: celebrar la vida, llorar la muerte e imprimir sobre los martillados rostros de lo humano los rasgos aún inimaginables de una nueva eternidad. Porque un poema solo existe si puede resistir el vendaval de la eternidad y una de sus condiciones más insoslayables, y quizás crueles, es que no puede sino ser extraordinario. No hay poemas pequeños; no existe la poesía intimista, como no existe la poesía social, ni la poesía exteriorista, ni la poesía experimental, ni la antipoesía. La única poesía que existe es aquella que puede ser musitada frente a un ser que muere o leída en voz alta frente al mar.

Hablo entonces del dolor y de un lenguaje de ángeles que estará o no estará esperándonos, que escucharemos o no escucharemos, que es el lenguaje de los que se encuentran, de los que solo pueden abrazarse, de los que no tienen otra posibilidad en este mundo que la de abrazarse, más allá de las pandemias, más allá de la vida, más allá de la muerte. Una humanidad no es nada sin eso. Incluso sin el sueño de eso. No es más que una simple constatación: no podemos ahora abrazarnos, pero nada persiste ni nada vive fuera del abrazo. Ser un ser humano es tener de tanto en tanto la posibilidad de recordarlo, ser un criminal, un dictador o un genocida es darse de tanto en tanto la posibilidad de olvidarlo.

Termino entonces este agradecimiento con mi abrazo, con la culminación de mi amor, con mi vida, con mi noche, con mi sueño y mi despertar:

Para ti, Paulina, este poema de un artista desmembrado…

Madrugada, enero 2020

De ese que te mira mientras duermes, apenas un gesto y la fiebre. Apenas quizás una mano; esa que tomó por primera vez la tuya emergiendo por un instante desde el temblor de sus manos. De ese estos escombros que se desmoronan siempre, que caen siempre. De ese tal vez sus pómulos y la marca de un dios menor que sigue quemando su mejilla. De ese quizás solo esa ruta llorosa y perdida que tomó el camino hacia tus brazos. De ti la gloria del primer día clavado para siempre y el fulgor de tus ojos mirando afuera la intemperie nevada de las montañas. De ti la feroz mañana imprescriptible en que babeantes ante tu belleza las fieras sanguinarias no sabían si amarte o morderte. De ti la fidelidad de un día que cae, de un cielo y de un mar que caen, de un hombre de espaldas estrechas que cae y que suelta su mano de la tuya para que tú no te caigas, para que no se derrumbe la invalidez de su noche sobre tus estrellas.

Muchas gracias. Eternamente agradecido.